DE WETTEN VAN

DRAKENEILAND

EERSTE WET
Doe voor anderen wat je zelf ook leuk zou
vinden.

TWEEDE WET
Doe een ander niks aan wat je zelf ook
niet zou willen.

DERDE WET
Iedereen houdt zich aan de beslissingen
van de Parlevinkers. Eens per maand
worden er nieuwe Parlevinkers gekozen:
na Bombinie (21 mei) na Toedeledokie
(21 juni) en na Astalabiesta (21 juli).

VIERDE WET
De Schout (gekozen voor de hele zomer)
spreekt recht zonder dat de Parlevinkers
zich ermee bemoeien. De hoogste straf is
verbanning.

VIJFDE WET
Een vergrijp wordt uitgewist als de dader
de gevolgen ongedaan maakt. Dus als je
goedmaakt wat je hebt misdaan, kun je er
geen straf meer voor krijgen.

ZESDE WET

Als iemand jou iets aandoet dat in strijd is met de Tweede Wet, mag je een klacht indienen bij de Parlevinkers of de Schout. Klachten worden in een hoorzitting behandeld en iedereen kan getuigen.

ZEVENDE WET

In de liefde is alles geoorloofd.

ACHTSTE WET

Je mag niet liegen. Niet over wat je in het verleden hebt gedaan, en ook niet over wat je nog zult doen. Dus wat je beloofd hebt, moet je nakomen, ook als het in strijd is met andere wetten.

NEGENDE WET

Als iemand om hulp vraagt, moet je hem helpen, tenzij hij iets in de zin heeft wat ingaat tegen de Tweede of de Derde Wet.

TIENDE WET

Als iemand in gevaar is, moet je hem redden, ook al breek je daarmee andere wetten.

Drenkeling op Drakeneiland

Jeugdboeken van Lydia Rood

Lydia Rood

Drenkeling op DRAKENEILAND

Met illustraties van Kees de Boer

Leopold / Amsterdam

www.drakeneiland.nl

Eerste druk 2008
© 2008 tekst: Lydia Rood
Omslag en illustraties: Kees de Boer
Omslagontwerp: Petra Gerritsen
Uitgeverij Leopold, Amsterdam / www.leopold.nl
ISBN 978 90 258 5254 2 / NUR 283

Inhoud

De man

Omdat hij zo ingespannen naar het strand lag te turen, schrok Jakko zich een ongeluk toen hij ineens bij zijn enkel gegrepen werd.

'Hebbes!' Dat was Dana's stem.

Even kon Jakko niet antwoorden, omdat zijn adem in de war was. Hij kon zich wel omdraaien. Op haar knieën in de dennennaalden en het zand zat zijn buurmeisje. Tenminste, thuis was ze zijn buurmeisje. Hier op Drakeneiland woonden ze samen in een witgeverfd huisje.

'Ik heb je overal gezocht, man.'

Een geit, die een eindje onder hen aan het helmgras knabbelde, mekkerde.

'Sst!' Jakko gebaarde naar het strand. 'Daar ligt iemand.'

De gestalte lag roerloos op het natte zand.

Het laatste zonlicht kleurde de kust oranje. De lage duinen, het strand en de zee in het noorden zagen er onwerkelijk uit. Elke pol gras had een lange, pikzwarte schaduw. En de zee leek een mozaïek van oranje en zwarte driehoekjes.

Van hier kon je niet zien dat het daar beneden levensgevaarlijk was. Wat gewoon strand leek, kon drijfzand zijn, waar je in wegzakte tot je middel. Ze mochten er niet komen, het was de Verboden Kust. En nou lag daar zomaar...

'Een mán,' fluisterde Dana.

Ja, daar aan de vloedlijn, zijn voeten in het water, lag een volwassen man. En dat terwijl Drakeneiland uitsluitend werd bewoond door kinderen. Het moest door de storm gekomen zijn. Eergisternacht was die geweest. Een boot zag Jakko niet, maar er was wel allerlei rotzooi aangespoeld.

Nou ja, dat was zijn probleem niet. Jakko stond op. Hij veegde een dennenappeltje van zijn knie. Toen floot hij zachtjes het speciale fluitje om zijn geiten te lokken. Ze kwamen meteen aanhollen. Jakko liep het Donkere Bos in.

'Kom. Ik barst van de honger.'

De geiten verdrongen zich om hem heen, in de hoop iets lekkers te krijgen. Jakko haalde een handje biks uit zijn zak en liet ze onder het lopen brokjes eten.

'Maar die man dan!' riep Dana uit. Ze rende op haar blote voeten achter hem aan. 'We moeten toch... We moeten iets...'

'Laat toch,' zei Jakko. 'Hij is vast dood. Als het weer vloed wordt, spoelt hij wel weg.'

Hij was niet écht zo kalm. Hij zou vast niet kunnen slapen als dat daar echt een lijk was. Een dode man was veel enger dan een bewusteloze man.

Dana holde een paar stappen voor hem uit, ging pal voor hem op het paadje staan en keek hem met gloeiende ogen aan. 'Hij is helemaal niet dood. En dat denk jij ook niet, anders had je niet gefluisterd.'

'Kan wel zijn.' Jakko onderdrukte een rilling en liep om haar heen. 'Maar hij hoort niet op Drakeneiland, en ik ben niet van plan voor hem in het drijfzand te zakken.' Dana werd bijna omver geduwd door de kudde en holde toen mee.

'Wat ben jij toch een ontzettende aso!' zei ze.

Dat deed pijn. Dat hadden ze op school ook tegen hem gezegd. Dana wist te veel van hem, dat was het. Hij had al honderd keer tegen zichzelf gezegd dat hij een echte vriend moest zoeken. Maar dat deed hij dan toch weer niet. Dana en hij hadden altijd naast elkaar gewoond. Dana kende zijn echte vader en Jakko kende haar echte moeder. Hij was rechtsback in het team waarin zij keepte. Ze hadden allebei een even grote hekel aan de bijlesjuf. Jakko wist dat Dana ervan droomde in het Nederlands elftal te spelen. Dana wist dat Jakko later politieman wilde worden. Ze waren samen hierheen gestuurd, tegelijk en om hetzelfde vergrijp. Nu woonden ze in hetzelfde huisje, sliepen in een stapelbed. Ze waren gewoon beste vrienden. Dat Dana een meisje was, nou ja, dat was een soort vergissing.

'En als hij nou in het drijfzand zakt?' vroeg ze.

'Hij zakt er nu toch ook niet in?'

'Omdat hij stilligt. Maar als hij bijkomt, en probeert op te staan? En dán zinkt? Dan zijn wij moordenaars.'

Jakko aarzelde. Je wist nooit precies waar drijfzand was, omdat het zich verplaatste. Net als de beekjes die uit de Kale Heuvels naar zee stroomden. Na elke regenbui liep zo'n stroompje weer ergens anders. En waar het in zee uitkwam, ontstond drijfzand. Dat léék stevig. Maar als je erop stapte, werd het opeens vloeibaar en zakte je erin weg.

Jonathan, de Vlootvoogd van Drakeneiland, had het allemaal uitgelegd. Verdrinken deed je niet, tenminste niet meteen. Maar het zand hield je voeten gevangen. Je kwam er nooit meer uit. En als er geen hulp kwam... Vroeg of laat steeg het zeewater. Dan was het afgelopen met je.

Dana en Jakko deden zo vaak dingen die niet mochten. Vooral thuis, vóór ze bij wijze van straf naar Drakeneiland moesten. Maar spelen met zijn leven deed Jakko niet. Eén keer wakker worden in het ziekenhuis, op het nippertje gered, was wel genoeg.

11

Spelen met het leven van iemand anders deed hij ook niet. Hij was géén moordenaar.

Hij hield zijn pas in.

'Oké,' zei hij. 'Dan gaan we kijken. Alleen om te zien of hij nog leeft.'

Dana keek even opzij.

'Dat dacht ik ook,' zei ze. 'Meneer de Dragonder.'

'Hou dáár nou eens over op!' viel Jakko uit. Ze was heel boos geweest toen hij bij de Dragonders was gegaan. Was dat nou nog niet over? Om haar af te leiden vroeg hij: 'Waar zijn je ezels trouwens?'

Het werkte.

'Die staan al lang op stal. Ik had een makkie vandaag.'

Dana was de Ezeldrijver van Drakeneiland. Ze was vaak de hele dag op pad om spullen van het ene dorp naar het andere te brengen.

Jakko en Dana wilden naar het strand teruglopen. Maar de geiten werkten niet mee. Ze bleven luid mekkerend staan. Geiten zijn bang voor het donker, dat wist Jakko natuurlijk. Voor een geit liggen na zonsondergang overal roofdieren op de loer.

'Aanstellerij,' zei hij tegen zijn beesten. 'Er zijn heus geen wolven of jakhalzen op Drakeneiland.'

Maar de geiten bleven koppig staan. Ze waren een behoorlijk eind van Akropolis en zouden zich moeten haasten om er vóór donker te zijn. En Jakko's kudde weigerde ook maar één stap te zetten die niet naar hun stal leidde.

'Breng jij de geiten naar huis,' zei Jakko. 'Dan ga ik alleen wel kijken.'

Dana's ogen werden donker.

'Ga jij nou opeens de held uithangen? Het zijn jouw geiten hoor!'

'Wil jij dan in je eentje naar het strand terug?'

Dana keek hem strak aan. Dat betekende ja.

'Durf je niet.'

'Durf ik best.'

'En wat ga je doen als hij nog leeft?'

Dana schoffelde met haar vuile tenen door het zand en de dennennaalden. Het zand was nog vochtig door de storm.

'Eh...'

'Zie je wel: dat weet je niet.'

'Maar jij weet het ook niet, Jak. Of wel soms?'

Jakko zweeg. Wat moest je met een man op het strand, een man die misschien wel dood was?

'Ik denk dat we toch hulp moeten halen.'

Na een tijdje knikte Jakko. Als de anderen er óók van wisten, was het al minder eng. Hij liep door en de geiten kwamen opgelucht achter hem aan. Het was nu zó donker in het Donkere Bos, dat hij blij was toen ze in de Kale Heuvels kwamen. Nu gauw naar de waterval, waar de kudde kon drinken, en dan over het grintpad snel naar huis. Het was al veel te laat. De geiten moesten nog gemolken worden en...

'En al die tijd ligt die man daar,' zei Dana.

Jakko knikte. Ze zouden moeten rennen.

'Jij achteraan,' zei hij. 'Hou wel je ogen open. Als er een tje afdwaalt, ben ík de klos.'

Hij zette er de sokken in. De geiten sprongen – zoals ze dat gewend waren – achter hem aan.

Het was moeilijk lopen op de harde paden door de Kale Heuvels. Jakko vroeg zich af hoe Dana het eraf bracht op haar blote voeten. Sinds het moment dat ze voet aan wal had gezet, had ze geen schoenen meer gedragen. 'In schoenen voel ik me opgesloten,' had ze gezegd. Ze moest onderhand een eeltlaag hebben zo dik als een schoenzool. Het was stikdonker toen ze in het centrum aankwamen. Vlug bracht Jakko de geiten op stal. Ze mekkerden boos toen hij geen aanstalten maakte om ze te melken.

'Zo meteen,' zei hij geruststellend. Met Dana holde hij naar het ronde plein in het midden van het dorp, waar de lage eik stond met de klok erin. Tussen de takken zat Mo, de kleine Klokkenluider, met een stuk pizza. Hij was bijna altijd op zijn post, zelfs als hij zat te eten.

'Luid de klok!' riep Jakko omhoog.

'Waarom?' vroeg Mo met volle mond.

'Omdat...' Opeens wist Jakko niet hoe hij verder moest gaan. Mo vertrouwde hem natuurlijk niet.

'Schiet op, Mo!' zei Dana. 'Er ligt een man op het strand!'

Op onderzoek uit

Op Jakko's geroep kwamen andere kinderen aanlopen, sommige met een kom eten in hun hand, andere met een broodje of een pizza. Opeens voelde Jakko dat hij razende honger had. Maar er was geen tijd. Mo luidde het signaal 'Verzamelen' en een paar minuten later zaten de meeste Parlevinkers op hun plek in de kring. Wendel, de Voorzitter, gaf Mo een teken en de vergadering werd geopend met een klokslag. Jakko en Dana moesten naar voren komen. Jakko voelde zich niet prettig, zo midden in de kring.

'Ze zeggen dat jullie een man gevonden hebben. Is dat waar?'

Jakko en Dana knikten.

'Waar?'

'Op de Verboden Kust,' zei Dana.

'We waren zelf in het bos,' voegde Jakko er haastig aan toe. De Parlevinkers waren de baas op Drakeneiland. Ze mochten straffen uitdelen. Jakko wilde geen straf. Hij had weinig vrienden onder de Parlevinkers. Helemaal geen vrienden eigenlijk. Als hij niet uitkeek, stuurden ze hem weg, van Drakeneiland af.

Wendel keek hem aan.

'Wat deed die man daar? Hij was toch niet in het drijfzand gezakt?'

'Nee, hij lag op zijn buik.'

'Met zijn gezicht naar beneden,' vulde Dana aan. 'We... weten niet zeker of hij nog leeft.'

'Verdrie,' zei Wendel. 'Een drenkeling dus. Zeker door de storm.'

Twee nachten geleden had een verschrikkelijk onweer veel kinderen uit de slaap gehouden. Het was blijven waaien – windkracht 10, volgens de Vlootvoogd – tot halverwege de ochtend. Afgewaaide takken hadden een fietsenstalling, het raam van het postkantoor en de tomatenoogst vernield. De hele vorige dag waren de Drakeneilanders bezig geweest de schade te repareren.

Grint spatte op toen er een fiets tot stilstand kwam. Even later struikelde Stijn de kring van Parlevinkers in.

'Wendel, de radio doet het niet!' zei hij hijgend. 'Ik moet nieuwe spullen bestellen, maar ik krijg geen contact met het vasteland. Het ligt niet aan mijn radio; met de accu is niks aan de hand. Het ligt aan de ontvanger op de wal. Misschien is er een mast omgewaaid.'

'Verduizend!' Wendel schreeuwde bijna. 'Dus we zitten misschien met een lijk en we kunnen niemand waarschuwen!'

'Lijk?!'

Stijn beheerde het magazijn, dat op een afgelegen plek in de Groene Heuvels lag. Hij was de enige die contact onderhield met de buitenwereld. Maar wat er op Drakeneiland zelf gebeurde, wist hij soms niet.

Vijf kinderen tegelijk probeerden Stijn te vertellen wat Jakko en Dana hadden gezien. Intussen arriveerden de Parlevinkers die ver weg woonden. Ook die moesten op de hoogte worden gebracht. Iedereen praatte door elkaar heen. Wendel gaf Mo in de boom een teken. Een dreunende slag van de klok maakte een eind aan het rumoer.

'Stil nou,' zei Wendel. 'We hebben een serieus probleem en we moeten een oplossing vinden.'

'En gauw ook,' zei Dana, 'want die man lag al met zijn voeten in het water.'

'Lekker laten liggen dan,' zei een jongen naast Jakko.

Het was Erik, de helft van een tweeling. Je kon hen alleen uit elkaar houden door hun shirts: Erik droeg altijd geel, zijn broer Sam altijd rood.

'Na middernacht wordt het weer vloed,' vulde Sam aan. 'Dan zijn we vanzelf van het probleem af.'

Er klonken boze en geschokte uitroepen.

'Grapje,' zeiden Sam en Erik tegelijk.

'Maar eb is ook gevaarlijk,' klonk een wat hoge jongensstem. 'Vergeten jullie de ebstroom naar Dodeneiland niet?'

'Juist,' zei Wendel. 'We moeten dus onmiddellijk iets doen. Iemand een idee?'

Uit de kring van toeschouwers maakte zich een brede gestalte los. Jonathan, de Vlootvoogd, stapte naar voren. Hij was het die net gesproken had.

'Over land kunnen we hem niet redden,' zei hij, 'want daar is drijfzand. We moeten dus per boot. Ik denk dat we om het eiland heen moeten varen en hem aan boord moeten hijsen. Als hij... als hij dood is, dan eh...' Hij keek hulpzoekend om zich heen. 'Ik heb liever geen lijk aan boord. Dat brengt ongeluk.'

Er ging een siddering door de rijen kinderen. Een klein meisje begon te huilen. Ze riep om haar moeder, wat Jakko een ongemakkelijk gevoel gaf. Hij had nooit last gehad van bukziekte, zoals ze heimwee hier noemden. Maar nu miste hij opeens zijn moeder. Volwassenen wisten tenminste wat je moest doen als er iemand doodging.

Wendel maakte een kalmerend gebaar.

'Laten we nou eerst maar gaan kijken. Jonathan, hoe zit het met die stroming? Drijf je niet af naar Dodeneiland?'

'De motor is krachtig genoeg, dat is bewezen.'

'Goed dan. Het plan van Jonathan lijkt me goed. Of heeft iemand een beter idee?'

Maar dat had niemand. Met algemene stemmen werd besloten dat een kleine groep sterke jongens aan boord van de motorboot op onderzoek uit zou gaan. Jonathan, omdat hij de stromingen het beste kende. Jeroen, de Koddebeier, die de veldwachter was van Drakeneiland en een bruine band in judo had. Mark, de Spellier, die niet alleen goed spelen kon organiseren maar ook handig was met boten en verstandig bleef bij gevaar. En verder? Wendel keek zoekend rond. Zijn blik gleed over Jakko heen. Nou ja, ook best.

'Stijn wil wel mee,' zei Jonathan. Ja natuurlijk, dat waren dikke vrienden.

'Kan niet,' zei Stijn spijtig. 'Ik moet bij de radio blijven voor het geval dát.'

'Wouter dan?' Wouter was een vriend van Wendel.

'Ben je belazerd!' riep de Nieuwsjager uit. 'Ik werk uitslui-tend met mijn hersens, hoor. Met lijken sjouwen doe je zelf maar.'

'Waarom Jakko niet?' vroeg Marisol, die midden in de kring Parlevinkers zat. Ze keek Wendel aan met ogen die in het schaarse licht pikzwart leken. 'Jakko weet waar ze moeten zoeken.'

Wendel leek te aarzelen.

'Oké dan,' zei hij ten slotte. 'Jonathan, Jeroen, Mark en Jakko gaan op onderzoek uit.'

'Mij best,' zei Jakko. Hij wilde niet al te blij klinken.

Maar weer verpestten de geiten het. Ze zetten het plotseling op een oorverdovend mekkeren. Zelfs op het plein was het te horen. Dana stootte Jakko aan. Jakko deed of hij het niet merkte.

'Gaan we meteen maar?' vroeg hij.

'De geiten,' zei Dana zacht. Toen hij niet reageerde, zei ze het luider: 'Je moet de geiten nog melken, Geitenhoeder. En ook ik weet de weg. Ik kan ook mee.'

'Maar jij bent een...'

Dana keek hem aan of ze hem een knal voor zijn kop wilde geven. 'Jij bent niet sterk genoeg,' zei Jakko.

'Wel!'

'O ja, Jakko.' De stem van Wouter, de Nieuwsjager, klonk een tikkeltje minachtend. 'Die laat natuurlijk zijn geiten weer in de steek.'

Jakko verweerde zich niet. Ze waren tóch allemaal tegen hem. Zelfs Dana. Het was niet eerlijk. Híj had toch zeker die drenkeling het eerst gezien?

Wendel wees naar Dana.

'Je hebt gelijk, jij kunt ook mee in Jakko's plaats. Trek wel even schoenen aan.'

'Nee,' zei Dana. 'Ik ga wel mee, maar niet op schoenen.'

Wendel glimlachte.

'Goed. Dus, Jonathan, dit is je bemanning: Jeroen, Mark en Dana. Jongens, Jonathan is de schipper en hij hakt de knopen door. Akkoord?'

Iedereen was akkoord, behalve Jakko, die mokkend zijn geiten ging melken.

Op het donkere paadje tussen de huisjes hoorde hij rennende blote voeten achter zich aan komen.

Dana greep hem bij zijn arm.

'Neem een fiets,' fluisterde ze. 'Door de Kale Heuvels ben je er veel eerder dan wij met de boot.'

Weg was ze weer. Fluitend liep Jakko door. Ze was tóch een toffe vriendin.

Om sneller klaar te zijn, ging hij niet naar huis om de olielamp te halen. Hij molk de geiten in het donker, op het gevoel. Daardoor leek hij beter te horen. Het leek wel alsof hij de motorboot, ver weg achter de heuvels, de haven uit hoorde varen. En klonk er gemompel in de nauwe steeg tussen het huisje en het geitenhok? Jakko hield even op

met melken en luisterde scherper. Ja, stemmen!

'Als hij nog leeft...'

'... dan komen ze hem halen.'

'Moeten we zorgen dat we een lift krijgen...'

'...stiekem...'

'...zodat Jeroen en Liam het niet merken.'

Er waren maar twee kinderen op Drakeneiland die zo praatten: de tweeling. Sam en Erik maakten elkaars zinnen af, aten ieder de helft van één boterham, droogden zich met dezelfde handdoek af en als de een van de zee droomde, droomde de ander van het strand. Ze deelden één baan, de baan van Tuinder, omdat ze het niet konden verdragen om apart van elkaar te werken.

Jakko ging door met melken. Wat de tweeling te bespreken had, kon hem niet schelen. Het gemompel werd geleidelijk zachter, tot Jakko het niet meer hoorde. Hij gaf de geiten hun biks en zette de melkbus koel in het keldertje naast de schuur. Daar zou de Kaasmaker hem morgenochtend vroeg weghalen. In het huisje dat hij met Dana deelde, propte Jakko snel een geitenkaasje en een half brood in zijn rugzak. Toen liep hij naar het plein om een fiets uit het rek te pakken.

Op het terras van de Tapperij zat de Nieuwsjager met Wendel te praten. Ze hadden elk een vol glas citroenlimonade en Wouter proostte met de Voorzitter. Slijmjurk, dacht Jakko. Bij de bakkerij laadde Pierre een stapel pizzadozen in de mand op zijn fiets. Verder was het plein verlaten. Niemand lette op Jakko toen hij een fiets uit het rek trok. Even later was hij op weg, dwars over het donkere eiland. Wat er ook zou gebeuren daar op de Verboden Kust, Jakko zou erbij zijn!

Een verlaten strand

Jakko kende elke kronkel in de weg, elk geitenpaadje, elke rotspunt, elke olijfboom langs het pad. Toch was het een beetje griezelig om hier 's nachts te rijden. In lage struiken ritselde het – slangen? Af en toe fladderde een vogel geschrokken op. Vleermuizen scheerden door de lucht als donkere vormen tegen de paarse hemel.

'Voor vleermuizen hoef je niet bang te zijn,' zei Jakko tegen zichzelf. Als hij er maar niet telkens zo van schrok!

Opeens hoorde hij nóg een geluid. Wat was het? Hij keek om. In de verte zwabberde een lichtje over het pad. Een spatbord rammelde. Er kwam iemand achter hem aan!

Natuurlijk had hij het volste recht hier te rijden. De meeste kinderen bleven 's avonds thuis, maar het was niet verboden op pad te gaan. Toch stapte Jakko af en verstopte zich met fiets en al in het struikgewas. Hij keek goed waar hij zijn voeten zette; als je een slang aan het schrikken maakte, was je de pineut.

Dana zei van niet. Dana zei dat de slangen op Drakeneiland niet giftig waren – 'Dat heeft meneer Papadopoulos heus wel onderzocht.' Maar Jakko zag vaak slangen liggen, opgerold onder een struik. En giftig of niet, eng waren ze.

Het lichtje kwam dichterbij en Jakko hoorde nu het geluid van de dynamo en het gehijg van de jongen op de fiets. (Hoe wist hij dat het een jongen was? Dat wist hij gewoon. Hij had thuis vaak genoeg verstopt gezeten onder de trap om ademhalingen te herkennen.)

Hij tastte om zich heen naar een tak om in de spaken te steken. Niet een dikke tak, de jongen hoefde geen doodsmak te maken. Hij vond een lange, droge, dunne stok. Op het moment dat de jongen voorbij fietste, stak hij de stok in het wiel. De jongen viel. Niet door het stokje, want dat was versplinterd, maar van de schrik.

Jakko stond op.

'Verdozie! Ik schrik me het apezuur! Waarom deed je dat?'

Het was Sjoerd, de Verslaggever. Hij krabbelde overeind.

'Wat voer jij hier uit?' vroeg Jakko. Meteen zelf het heft in handen nemen, dat was het beste. Sjoerd voelde zich heel wat, met zijn opschrijfboekje en zijn drammerige vragen. Jakko wilde niet laten merken dat hij tegen hem opkeek.

'Ik zit achter het nieuws aan natuurlijk. En jij – hé! Jakko, nu zie ik het pas! Dat komt goed uit. Jij kunt mij wijzen waar die man ligt.' Hij zag Jakko's afwijzende gezicht. 'Als je wilt natuurlijk. Dus jij was op hetzelfde lumineuze idee gekomen.'

Jakko wist niet wat dat woord betekende en hij had trouwens toch geen zin om antwoord te geven.

Zwijgend stapte hij weer op zijn fiets en reed weg. Sjoerd fietste hem na en stak Jakko onder het rijden een citroenbal toe.

'Goed dat ik je tegenkwam, man. Ik begon net bang te worden dat ik verkeerd gereden was.'

Jakko pakte het snoepje maar aan. Misschien viel die Sjoerd toch wel mee.

De teleurstelling was groot. Jakko wist zeker dat ze op precies dezelfde plek het bos uit kwamen als die middag.

Maar het strand was leeg. Geen donkere vlek op het zand.

'Ze zijn ons voor geweest,' zei Sjoerd. 'Jonathan en de anderen hebben hem al meegenomen met de boot.' Hij draaide zich om. 'Nou, dan schrijf ik dat maar op voor de Tamtam van morgen. Jammer, ik was van plan een spannend verslag te schrijven.'

Jakko schudde zijn hoofd. Links, om de bocht van het eiland, kwam de motorboot nu pas aanvaren.

'Verd-duizend,' stamelde Jakko. 'Dan is hij dus verdronken in het drijfzand.'

'Kan niet,' fluisterde Sjoerd. 'Je kunt niet verdrinken in drijfzand.'

'Wel waar,' zei Jakko. 'Het houdt je gevangen, en dan wordt het vloed en…'

'Maar het is toch eb! Hij is gewoon weggewandeld.'

Jakko had geen zin om Sjoerd gelijk te geven. Toch voelde hij zich een beetje opgelucht. Want als die man verdronken was, zou het zíjn schuld zijn geweest.

Maar waar was hij gebleven? Jakko keek om zich heen. De schaduwen in het bos achter hen leken plotseling veel donkerder. En er klonk ook meer geritsel. Sjoerd keek Jakko aan. 'Welke kant zou hij opgelopen zijn?' Zijn gefluister was bijna niet te verstaan.

Om niet te laten merken dat ook hij bang was, zei Jakko gewoon hardop: 'Misschien zit hij in het bos.' Onwillekeurig keek hij weer om. Het Donkere Bos stond bol van de geluiden…

'Ik ga hem zoeken!' zei Sjoerd. 'Blijf bij me, jij weet de weg hier.'

Jakko gromde. Hij was Sjoerds knechtje toch zeker niet!

Hij keek weer naar de zee. Daar was de boot intussen veel dichterbij gekomen. Hij meende Dana te herkennen in het donkere figuurtje dat afstak tegen de zee. Dana was de enige van wie hij het pikte als ze bazig deed.

Jakko deed een paar stappen naar beneden, het duin af. Hij was degene die had gemeld dat er een man was aangespoeld. Hij moest ook degene zijn die meldde dat hij weer was verdwenen.

Maar na die paar stappen aarzelde hij. Dit was dus wel de Verboden Kust. Hij moest op zijn tellen passen. Als hij nog een fout maakte, moest hij van Drakeneiland af. Dan stuurden ze hem naar huis, terug naar Terry, zijn stiefvader. Terror Terry.

Hij ging op zijn hurken zitten en keek hoe de boot aanlegde. Dana had de plek niet helemaal goed onthouden, maar ze kwamen er dicht in de buurt. Over het strand klonken de stemmen helder en duidelijk:

'Waar is die man dan?'

'Pas op, blijf aan boord!'

'Ik zie niks.'

'Er is helemaal geen man.'

'We zijn ook stom, om die Jakko te geloven.'

'Ik heb hem ook gezien anders.' Dat was Dana. Ze zei niet: Jakko liegt niet.

'We moeten nog verder.'

'We moeten terug!'

Toen Dana weer: 'Nee, hier was het echt... Hij is verdronken!'

'Meegesleurd.'

'In het drijfzand gezakt.'

En de hoge stem van Jonathan: 'Dat kan niet, zeker niet als hij op zijn buik lag. Hij moet weer door de golven meegenomen zijn. Het was nog vloed toen jullie hem zagen. Maar het tij is gekeerd en de stroming ook. Hij moet richting Dodeneiland gedreven zijn. Mark, afduwen!'

Met een lange paal duwde een van de zwarte gestalten de boot terug in zee. Even later tuften ze langs de kust naar het noordoosten.

Sjoerd, die gehurkt naast Jakko was komen zitten, sprong op.

'Kom op, we volgen ze!' Onder dekking van de bosrand draafde hij door het mulle zand.

Idioot, dacht Jakko. Dat houdt hij geen tien minuten vol. En waar het bos ophoudt, is hij duidelijk te zien tegen de lichtere heuvels.

Misschien mocht een Verslaggever meer dan anderen. Maar dit blééf de levensgevaarlijke Verboden Kust.

Jakko was een Geitenhoeder maar hij gebruikte wel zijn

verstand. Wat zou de man gezien hebben, als hij bijgekomen was? Als hij zich op zijn buik hogerop had gesleept naar het droge zand, en was opgestaan? Het bos zou zijn zicht belemmerd hebben. Maar rechts stak de berg, de Drakenkop, boven alles uit. En wat doet iemand die is aangespoeld op een onbekend eiland? Die zoekt een hoog punt om de omgeving te bekijken.

Jonathan zat op het verkeerde spoor en Jakko begreep waarom: Jonathan was een jongen van de zee, die dacht in getijden en stromingen. Maar de man had alleen met zijn voeten in het water gelegen. Die was heus niet meegesleurd. Hij moest omhoog zijn geklommen, door de Kale Heuvels naar de Drakenkop. Als hij daar een vuur zou maken, zouden schepen hem kunnen zien. En als er gevaar dreigde, zou hij het zien aankomen.

Jakko riep naar Sjoerd: 'Kom terug! Hij is daar niet.' Maar de Verslaggever ploeterde voort zonder om te kijken.

'Dan niet, betweter,' mompelde Jakko. Hij draaide zich om en liep terug naar zijn fiets. Hij racete over het hobbelige bospad. Hij sloot zich af voor bewegende schaduwen en griezelige geluiden tussen de bomen. Hij moest zo snel mogelijk bij de Drakenkop zien te komen.

Ze keken hem allemaal met de nek aan. Sommigen geloofden hem niet eens. Maar wie zou straks met de drenkeling in het dorp aan komen zetten? Juist: Jakko!

Kip zonder kop

Volkomen uitgeput strompelde Jakko in de ochtendschemering het dorpsplein op. Hij liep tussen de huizen door tot de stalling van de Fietsenmaker en zette de fiets met de lekke band in het rijtje. Op zijn tanden bijtend liep hij via het washok naar huis. Maar hij kon nog niet gaan slapen, want zijn geiten mekkerden om hun ontbijt, en ze wilden ook weer gemolken worden. Pas toen hij daarmee klaar was, kon hij zich naar zijn bed slepen.

Op de veranda van hun huisje lag de Tamtam naast een vers brood. Honger had hij niet, maar hij raapte de krant op en liep al lezend naar binnen.

'Geheimzinnige drenkeling vermist' was de kop die boven Sjoerds stuk stond. Die sukkel had kennelijk uren langs het strand gedraafd, achter de motorboot aan, maar ook de vaarploeg had de man niet meer kunnen vinden. Jakko las het hele stuk (ook al hield hij niet van lezen) op zoek naar zijn eigen naam. Maar hij werd niet genoemd. Dana wel, als 'lid van de dappere expeditie die met gevaar voor eigen leven op zoek ging naar de onbekende drenkeling'.

'Hé, had je het brood niet even mee kunnen nemen? Ik heb honger!'

Jakko was zó moe, dat hij zelfs schrok van Dana. Ze zag er fris uit, alsof ze lekker vroeg naar bed was gegaan. Ze zat op tafel en pulkte aan het eelt onder haar voeten.

'Pak zelf maar,' zei Jakko. Hij liet zich op het onderste stapelbed vallen en trapte zijn schoenen uit. In zijn sok zat een grote bloedvlek van een blaar die open was gegaan.

'Waar heb jij uitgehangen?' vroeg Dana. 'We hebben die man niet gevonden. We...'

'Ik ook niet,' gaapte Jakko. Maar hij móét er zijn. Op de top van de Drakenkop bedoel ik.' Hij trok de sok voorzichtig los van zijn voet. Het deed akelig pijn.

'Was je dáárheen?'

'Natuurlijk. Daar zit hij ook. Ik kon hem alleen niet vinden. En hou nou je kop, want ik moet slapen.'

'Je moet met je geiten weg, dat moet je. Straks krijg je een klacht, hoor. Als de Kaasmaker weer voor niks komt...'

Jakko keek haar aan. Ze had gelijk. Er konden maar beter geen klachten meer tegen hem komen. Dan zat hij met Astalabiesta, halverwege de zomer, weer op de boot terug naar huis...

Hij trok zijn sok weer aan. Er zat niks anders op.

Bijna slaapwandelend ging hij met zijn kudde door de Groene Heuvels in de richting van de haven. Misschien kon hij even een duik nemen om op te frissen. Hij schrok toen er achter hem luid werd gebeld. De geiten sprongen alle kanten op toen Pierre, de Pizzabezorger, voorbij kwam racen. Pierre was de grootste roddelkont van het eiland, maar hij stapte niet eens af voor een praatje en stortte zich het kronkelende pad af. Even later zag Jakko hem over het strand hollen, maar door een heuveltop zag hij niet waarnaartoe.

Hij liet de geiten achter in de duinen, op de plek waar Pierre zijn fiets had neergegooid, en zwoegde zelf door het mulle zand naar de zee. Hij liep de steiger op en keek bij het havenkantoortje naar binnen. Toen kreeg hij een schok.

Daar stond hij, de Man! Hij stond iets te beweren, en Jonathan, de anders zo stoere Jonathan, stond er bedremmeld naast. Pierre stond bedeesd af te wachten met een pizzadoos in zijn handen. Alsof hij bang was om ertussen te komen. Pierre! Bang!

'... zorg dat het in orde komt...' ving Jakko op.

Jakko bedwong zijn nieuwsgierigheid en trok zijn kleren uit. Een halve minuut later plonsde hij in de golven.

Lekker opgefrist kwam hij er even later weer uit. Hij wrong zijn kleren over zijn stroeve lijf en liep langzaam langs het kantoortje. Jonathan zat over een kaart gebogen. Hij was alleen. Jakko schraapte zijn keel. De Vlootvoogd keek niet op.

'Wat moet je?'

'Wie was dat?' vroeg Jakko. Móest Jonathan nou zo uit de hoogte doen?

'Wie denk je,' zei Jonathan. 'Laat me met rust want ik moet uitvogelen wat de beste route is naar Rhodos.'

'Daar mogen we toch niet heen?' vroeg Jakko verbaasd.

'Die man moet hier weg en ik moet hem brengen.'

'Van wie moet dat?'

'Nou, van hém natuurlijk. Ga weg, Jakko, je stoort me.'

Jakko snapte er niks van. Sinds wanneer liet de Vlootvoogd zich vertellen waar hij met zijn boten heen moest varen? Jakko schudde zijn hoofd toen hij terugging naar de geiten. Een eindje verderop duwde Pierre zijn fiets de helling op. In de mand, bedoeld voor pizzadozen, lag een touwige prop die zo te zien een visnet was. Toen hij Jakko hoorde, wachtte hij even.

'Ik hoorde dat je vannacht niet thuis was,' zei hij.

'Ik was naar de Drakenkop. Op zoek naar die man,' zei Jakko. 'En nou loopt hij hier rond.'

'Kwam vanochtend ineens aanstiefelen. Uit de bergen.' Pierre wees naar het westen.

'Dan had ik dus gelijk,' bromde Jakko.

Pierre hijgde. Het stinkende net in zijn mand was zeker
zwaar.

'Wat moet jíj daarmee?' vroeg Jakko. 'Straks smaken de
pizza's nog naar vis.'

'De Man zei dat ik het mee moest nemen,' zei Pierre.
'Het stond zo slordig op de steiger, zei hij.'

'Maar jij bent toch geen visser?'

Pierre haalde zijn schouders op en Jakko schudde

opnieuw zijn hoofd. Waarom deden ze allemaal zo braaf wat de Man zei?

'Hij heeft hier niks te vertellen,' zei Jakko. 'Hij is gewoon maar aangespoeld.'

'Nou ja,' zei Pierre. 'Hij is dus wel volwassen, hè.'

'Nou en?' vroeg Jakko met zijn kin vooruit. 'Volwassenen hebben heus niet altijd gelijk, hoor.'

Pierre lachtte.

'Maak ze dát maar eens wijs!' zei hij.

'Stelletje idioten,' bromde Jakko. Hij sloeg linksaf de heuvels in. De geiten huppelden achter hem aan. Hij was blij dat hij Geitenhoeder was. Lekker over het eiland dwalen, met niemand iets te maken hebben. Hij hoefde zich van niemand iets aan te trekken.

'Niet doen!' riep Pierre. 'We mogen niet van de paden af, zegt de Man. Stel dat je verdwaalt.'

Jakko draaide met zijn ogen. Alsof hij zich dáár wat van aan zou trekken!

Toen hij in het centrum terugkwam, stond de zon al heel laag. Hij was afgepeigerd. Maar hij moest eerst nog melken... Werk, werk, werk! Thuis zou hij rond deze tijd lekker achter de computer zitten, kletsen met internetmaatjes of stiekem neuzen in blotemeidenplaatjes. In de woonkamer zat zijn stiefvader bier te drinken, zijn zus hing met een koptelefoon op in de bank. Zijn moeder zocht ruzie vanuit de keuken. Zijn broertje liep te dreinen. En dan zou het niet lang meer duren of er kwam ruzie, snerpende ruzie, striemende ruzie, oorpijnruzie.

Nee, dan was het hier toch beter.

De geiten lieten zich gewillig melken; ook zij waren moe. Dana was nergens te bekennen. Jakko wilde voor zichzelf een pizza gaan scoren op het plein. Maar toen hij daar was, vergat hij zijn honger.

Op het terras zat de Man. Hij had zijn benen gestrekt, de ene enkel over de andere, een hand om een glas citroenlimonade, de andere in zijn zak. Hij was de enige gast van de Tapperij. Op het plein waren meer kinderen dan normaal om deze tijd. Moon maakte een praatje met Linda. (Jakko merkte Moon altijd meteen op. Andersom zag zij hem niet, natuurlijk.) Niels en Fenna krasten hun namen in een bankje. Liam gaf een demonstratie zakkenrollen. Luilebal leerde een paar kleine kinderen knikkeren en Losbol liet een nieuwe vlieger op.

Moon en Linda woonden allebei in de Holte. Als ze wilden kletsen, hoefden ze niet helemaal naar het centrum te komen. Luilebal en Losbol woonden tussen de andere kunstenaars in de Diepte, en Losbol had zijn vlieger net zo goed daar kunnen uitproberen. En wat deed Liam zo ver van zijn huis om deze tijd? Het was vast om de Man dat al die kinderen hier rondhingen. Van een afstandje hielden ze hem allemaal in de gaten, al draaiden ze gauw hun hoofd weg als hij keek. Renée, de Bakker, bracht hem juist een versgebakken pannenkoek. De Man knikte even zonder haar aan te kijken.

Jakko kon het niet helpen, hij móest dichterbij komen. Net zo min als de anderen durfde hij aan een van de andere tafeltjes op het terras te gaan zitten. Hij slenterde naar een van de bankjes die in een kring bij de eik stonden en ging er schrijlings op zitten. Hij deed zijn veters los en weer vast. Intussen keek hij vanuit een ooghoek naar de Man aan de overkant.

Dana kwam met haar twee ezels het plein op. De grote draagmanden zaten vol met zakken meel en tankjes olie. Zo te zien was ze naar het magazijn geweest. Ze laadde de vracht af bij de bakkerij en kwam met haar ezels naar Jakko toe. Ze ging zó staan, dat ze tussen de ezels door naar de Man konden gluren.

'Hij doet of hij thuis is,' zei Jakko.

'Hm... Ik moest het washok voor hem schrobben. Anders wou hij niet douchen.'

'En heb je dat gedaan?' vroeg Jakko verbaasd.

'Wat moest ik anders?' zei Dana.

'Dat is jouw werk toch niet!'

'Hij snapt het natuurlijk nog niet zo goed allemaal,' zei Dana. 'Kijk, hij zit alcohol te drinken. Hij heeft zo'n kontzakflesje.'

'Hij moet zich toch zeker ook aan de regels houden!' Jakko hield niet van alcohol. De lucht deed hem aan zijn stiefvader denken.

Dana haalde haar schouders op.

'Ga het hem maar vertellen.'

'Waar komt hij vandaan?'

'Luxemburg. Hij praat raar, maar als je je best doet, kun je hem wel verstaan. Een toerist. Pierre heeft hem uitgehoord. Hij ging mee op zo'n vaartochtje, snorkelen en zo. Hij is overboord geslagen tijdens de storm.'

'Spannend.'

Dana grijnsde.

'Heeft Stijn het vasteland al gemeld dat ze hem moeten komen halen?' vroeg Jakko. Alle kinderen gingen raar doen door die Man. Dat beviel hem helemaal niet.

Dana's antwoord werd overstemd door gebeier. Mo luidde de klok in de eik alsof hij in Turkije gehoord wilde worden. Jakko luisterde even naar het ritme, dat betekende dat iedereen bij elkaar moest komen. Niet alleen de Parlevinkers, maar de hele eilandbevolking.

Er was een geloop en geren en geroep. Losbol haalde zijn vlieger in, Luilebal raapte de knikkers op, iedereen liet in de steek wat hij aan het doen was. Iedereen, behalve de Man. Die zat zijn pannenkoek te eten, nog steeds onderuitgezakt en met één hand in zijn broekzak.

'Ik ga de ezels naar de stal brengen,' zei Dana. 'Hou een plekje voor me vrij.' Jakko stond op, want een Parlevinker eiste zijn plaats op het bankje op. Snel liep hij naar de grote stenen oven naast de bakkerij en klom er bovenop. De stenen waren nog warm van het bakken van de pizza's, maar niet heet meer. Vanaf hier kon Jakko het hele plein overzien, behalve wat er precies achter de eikenboom gebeurde. In ieder geval had hij prachtig zicht op het terras en de Man.

Alle Parlevinkers waren er. Om hen heen hadden alle Drakeneilanders zich verzameld. Zelfs Stijn was er. Wendel nam het woord. Hij heette de Man welkom en vroeg hem in de kring te komen staan, op de grote steen in het midden. De man wuifde vriendelijk met zijn vork, maar bleef zitten waar hij zat. Wendel liet het maar zo.

'Onze gast heet,' een lange, onverstaanbare naam volgde, 'en hij komt uit Luxemburg. Hij wordt vast en zeker zo snel mogelijk opgehaald. Intussen hoop ik dat iedereen hem beleefd en gastvrij behandelt.'

'Het is een groot mens,' zei een van de kleinere kinderen. 'Hij mag hier niet.'

'Klopt,' zei Wendel, 'maar hij kan er niets aan doen, hè? Hij is nu eenmaal hier aangespoeld. Ze komen vast gauw, het is maar een halve dag varen hiernaartoe.'

'Probleempje.' Stijn had zijn hand opgestoken. 'Ik heb het de hele middag zitten proberen, maar ik kan nog steeds geen verbinding krijgen. Niemand weet dat hij hier is.'

'Nou ja,' zei Wendel, 'dan duurt het wat langer. Kan geen kwaad. Als iedereen wat inschikt.'

'Hij drinkt,' zei Fenna, een eigenwijs meisje van een jaar of negen.

De man hief zijn glas omhoog.

'Prosiet,' zei hij. Hij haalde een flesje te voorschijn en goot nog wat van een goudgele vloeistof in het glas. Hij nam een grote slok.

'Hij stinkt naar alcohol,' hield Fenna aan.

Wendel keek haar streng aan en schudde zijn hoofd. Ze trok een gek gezicht en hield haar mond verder.

'Hoe staat het met de voorraden?' vroeg Marisol.

'Dat zit voorlopig wel goed,' zei Stijn.

De Man was klaar met eten. Hij stond plotseling op, dronk zijn glas in één teug leeg en liep in de richting van het was- en plashok, dwars door de groep kinderen heen. Ze maakten eerbiedig plaats voor hem. Jakko knarsetandde. Waarom deden ze zo gedwee? Oké, de Man was een groot mens. Maar wat dan nog?

'Hij kan niet blijven,' hoorde hij zichzelf opeens zeggen. De manier van doen van de Man deed hem aan Terror Terry denken.

'Natuurlijk niet,' zei Wendel geruststellend. 'Maar een paar dagen overleven we wel.'

Opeens klonk er een gil, gevolgd door een boze mannenstem. Even later kwam Dana aanrennen. Ze baande zich een weg tussen de kinderen door en sprong in de kring.

'Ik moest een kip slachten!' Ze snakte naar adem. 'Hij wil... de Man... Hij heeft zin in kip!'

'Je hebt het toch niet gedaan?!' vroeg Marisol. Ze aten geen vlees op Drakeneiland, omdat niemand dieren dood durfde te maken. Ze aten wel vis, vooral sardientjes. En eieren en kaas. Maar geen vlees of vogels. De kippen waren heel belangrijk. Zonder kippen geen eieren, zonder eieren geen pannenkoeken, geen oliebollen, geen cake...

'Natuurlijk heb ik dat niet gedaan!' brieste Dana. 'Maar nu... Ik kon...'

Ze kwam er niet uit. Toen hoorden ze het allemaal. Er klonk een enorm gekakel, verderop in het kippenhok. Eén kip krijste, maar dat hield plotseling op. Toen kwam de Man weer aanlopen. In zijn hand hield hij een onthoofde kip. Bloed welde op uit de hals, waar de kop bruut afgesneden was. Het lijf spartelde nog na.

Kleine kinderen gilden. Lena, de Danseres, gaf over tussen haar voeten. Jeroen en Stijn vloekten.

De Man liep op Renée af en wilde haar de kip geven. Kennelijk dacht hij dat ze de kok van Drakeneiland was. Renée deinsde achteruit en weigerde het dode dier aan te pakken. Toen gooide de Man het op een tafeltje.

'Bakken!' zei hij. 'Met knoflook en salade.' Hij praatte werkelijk raar, maar als je wilde, kon je het inderdaad verstaan.

'Mooi niet!' brieste Renée, die anders de rust zelve was. 'Ik ben je slavin niet.' Ze werd van alle kanten bijgevallen.

'Dit gaat te ver!' riep Pjotr, een Parlevinker.

Wendel gaf Mark een teken. Die pakte het slappe kippenlijf van tafel en droeg het weg om het te begraven. Jeroen en Liam gingen met grimmige gezichten op de Man af en posteerden zich voor zijn tafeltje.

'Dat gaat dus zo niet,' zei Liam. 'Wij maken hier geen dieren dood.'

'Hoezo niet?' vroeg de Man verbaasd.

'Zo is de wet,' zei Jeroen, niet helemaal naar waarheid. Het was een ongeschreven regel die bepaalde dat ze geen dode dieren aten. Meneer Papadopoulos, van wie Drakeneiland was, had het niet echt verboden.

'Onzin!' zei de Man boos.

'Volwassen of niet,' bromde Wendel, 'hij heeft zich netjes te gedragen.' En harder: 'U moet zich aan ónze regels houden!'

'Of anders...' mompelde Jakko. Voor het eerst sinds zijn komst op Drakeneiland was hij het hartgrondig eens met de voorzitter van de Parlevinkers.

De Man haalde een tandenstoker uit zijn zakmes en

begon tussen zijn kiezen te poken. Verveeld trapte hij naar een kat, die onder tafel naar restjes zocht.

'Afblijven!' gilde Fenna.

De kat vloog ervandoor. Marisol en Fouad sprongen op. De kinderen schreeuwden nu allemaal zó hard door elkaar, dat Wendel er niet meer bovenuit kon komen.

De Man wel.

'Stil!' bulderde hij. 'En nu zitten en je muil houden!'

En tot Jakko's afschuw werd het inderdaad stil. Kinderen keken naar de grond, kinderen schuifelden met hun voeten, kinderen keken elkaar aan en probeerden niet de slappe lach te krijgen van de zenuwen.

'Eh...' zei Wendel onzeker. 'Dan sluit ik nu maar de vergadering. Of zo. Weet ik veel. Ga maar naar huis allemaal. Hij zegt dat we er om zeven uur in moeten liggen.'

Een vreemd vermoeden

De volgende dag werd het iedereen duidelijk: de Man luisterde niet naar kinderen. Hij deed waar hij zin in had. Myrna had hem ingekwartierd bij Mark en Niels, maar hij wilde er niet blijven. Volgens hem praatte Niels in zijn slaap. Alle huisjes zaten vol, maar uiteindelijk werd hij opgenomen door Sam en Erik, die een plek over hadden omdat ze samen in een bed sliepen.

De Man had nagevraagd wie de radio beheerde. Pierre vertelde dat hij hem de weg had moeten wijzen naar het magazijn. De radio deed het nog steeds niet. Tot Stijns grote ergernis had de Man hem zonder een blik wegge-stuurd en was aan de installatie gaan prutsen.

'Ik weet er meer van dan hij!' had Stijn geroepen.

Daarna maakte de Man per fiets een tochtje over het eiland. Overal had hij commentaar op. Het postkantoor vond hij érg interessant, tot hij begreep dat alle post bestemd was voor Drakeneiland. Ook had hij nogal veel belangstelling voor de apparatuur in het gebouw van de krant. Wouter, de Nieuwsjager, had knarsetandend staan kijken hoe de Man overal met zijn vingers aan zat.

Nu was de Man weer neergestreken in de Tapperij. Daar liet hij een voor een de belangrijke kinderen van het eiland bij zich komen en ondervroeg hen over hun werk.

'Hij doet of hij de baas is!' sputterde Jakko, die met Dana olijven zat te eten op een muurtje. 'En iedereen doet braaf wat hij wil!' Hij spuugde boos een pit uit.

'Moet jij zeggen, meneer de Dragonder!' zei Dana. 'Ik dacht dat jij juist van bevelen hield.'

'Jaha! Nou weet ik het wel!' Soms leek Dana zijn moeder wel. Die wilde ook altijd drie keer horen dat ze gelijk had.

Hij sprong op.

'Ga je mee zwemmen? Beneden bij de steiger?'

Dana schudde haar hoofd.

'Het is eb.'

'En?'

'Het is te gevaarlijk, zwemmen bij eb.'

'Wie zegt dat? Jonathan?'

Dana spuugde een pit in de richting van de Man.

'Híj.'

'Nou dat weer!' riep Jakko uit. 'We zwemmen daar zowat elke dag. Ik kríjg wat van die Man.'

'Ik ook,' zei Dana. Ze greep het mandje olijven en sprong van het muurtje. 'Kom op. We gaan lekker naar de Koude Plas. Daar komt hij niet.'

Het was druk aan de oevers van het meertje. De hele bevolking van de Holte was er aan het zwemmen, en er waren ook heel wat kinderen uit het centrum, zag Jakko. Kennelijk kreeg de Man alweer zijn zin en werd er niet in zee gezwommen nu het eb werd.

Jakko en Dana duwden elkaar kopje onder en zaten elkaar achterna. Natuurlijk was er weer iemand die 'Jakko heeft met Dana' riep. Jakko trok zich er niets van aan. Ze dachten maar wat ze wilden. Natuurlijk wás het niet zo. Hij dacht nooit aan Dana als een meisje. Dana was gewoon Dana.

'Dana is op Jakko!'

De jongen die dat riep, waadde naar Jakko toe en sprong op zijn rug. Het was Ruben de Fietsenmaker. Hij had een rare zwembroek aan. Jakko probeerde hem af te schudden, maar het lukte niet.

'Hier, Dana, ik hou hem voor je vast,' riep Ruben. 'Kom hem dan een kusje geven!'

'Rot op!' gilde Dana. Ze ploeterde zo snel als het ging naar Jakko en Ruben toe. Voor hij het wist, lag de jongen in het water. Dana drukte zijn schouders naar beneden en duwde zijn hoofd onder. Ruben spartelde, maar Dana was sterker. Ook groter trouwens, maar Jakko greep niet in. Die Ruben kreeg de laatste tijd veel te veel praatjes. Hij woonde in de Holte; daar kwam dat zeker door.

Dana hield Ruben nog steeds onder water. Ze liet hem pas los toen er geen belletjes meer bovenkwamen.

'En als je het nog een keer zegt, verzuip ik je echt!'

'Genoeg nou, Dana,' zei Jakko kalmerend. Als Dana boos was, raakte ze door het dolle heen. En een dolle Dana was gevaarlijk. Daardoor zaten ze op Drakeneiland. Een ideetje van Dana dat uit de hand gelopen was…

De Fietsenmaker proestte en hijgde en wreef het water uit zijn ogen, maar echt onder de indruk was hij niet.

'Wacht maar,' zei hij. 'Als de Man dit hoort!'

Dana dook onder water en zwom weg zonder verder nog acht op hem te slaan.

'De Man, de Man,' zei Jakko. 'Laat hij ergens anders de baas gaan spelen!'

'Inderdaad,' zei iemand naast hem. Uit het water was Marnix opgedoken, de Aanklager. 'Een volwassen kerel heeft hier niks te zoeken.'

Ruben, die een kop kleiner was, draaide zich naar Marnix om.

'O nee? Weet je dat zeker? Misschien ís de Man de baas wel – heb je daar al aan gedacht?'

'Meneer Papadopoulos is de baas,' zei Marnix minachtend. 'Dat weet iedereen.'

'Jaaa,' zei Ruben veelbetekenend. 'Maar wie heeft

43

meneer Papadopoulos ooit gezien? Hè? Als hij ons stiekem wil controleren, kan meneer Papadopoulos best doen of hij een drenkeling is. Of niet soms?'

Jakko schrok. De Man? Meneer Papadopoulos? En Jakko had vrolijk geroepen dat hij weg moest!

'Onzin,' zei Jakko. 'Het is gewoon een drenkeling.' Hij keerde de anderen de rug toe en zwom naar de overkant van de Koude Plas, waar ze de mand met hun avondeten hadden achtergelaten.

Terwijl hij op de rotsen klauterde, wat nog best een klus was omdat die meteen glibberig werden van het water dat van zijn lichaam droop, hoorde hij stemmen.

'Maar ik mis mijn gitaar.'

'En ik mijn drumstel.'

'Stom dat we die niet mee mochten nemen!'

'We kunnen bij de band gaan hier...'

'... maar dan moet jij op die stomme Spaanse gitaar.'

'En jij mag op een holle boomstam trommelen!'

Ze grinnikten.

Jakko liep om de rotspunt heen en zag dat Sam en Erik zich daar stonden af te drogen. Sam bukte zich en schudde zijn haar droog. Precies boven hun mand met eten.

'Hé, kijk uit!'

'O sorry hoor!' zei Sam.

'Het ging per ongeluk,' zei Erik.

Jakko pakte zijn handdoek. Niet dat afdrogen echt hoefde op Drakeneiland. Het was zelfs tegen zonsondergang nog zó warm dat je meteen opdroogde. Het was meer dat hij iets te doen wilde hebben terwijl hij Sam en Erik uithoorde.

'Hoe gaat het met jullie gast?' vroeg hij schijnheilig. 'Voelt hij zich al thuis?' Het klonk niet erg overtuigend, vond hij zelf, maar de tweeling trapte erin.

'Ja hoor.'

'Het is lekker rustig in de Diepte, zegt hij.'

'Hij laat ons wel veel klusjes doen.'

'Maar dat hebben we er voor over,' zei Erik.

'Waarvoor?'

'O, niks,' zei Sam.

'Gewoon,' zei Erik. Ze keken elkaar snel even aan.

Sam duwde met zijn voet tegen de mand. Erik stelde de vraag: 'Ga je hier in je eentje picknicken?'

Jakko schudde zijn hoofd. Hij had geen zin om over Dana te beginnen. Ze waren wel weer genoeg gepest voor één dag.

'Jullie mogen wel mee-eten. Er is genoeg.'

Sam en Erik schudden gelijktijdig het hoofd, precies in de maat.

'Brood met kaas zeker. Nee, wij moeten…'

'… koken voor de Man.'

'Echt eten!'

'Toch geen kip?' vroeg Jakko met een lachje.

Weer wisselde de tweeling een blik.

'Nee…'

'… natuurlijk niet.'

'Wat denk je wel!'

Ze liegen, dacht Jakko. Hij had het idee dat de tweeling en de Man wel degelijk kip zouden eten vanavond.

'Hé!' zei Erik ineens. Hij keek naar Jakko's broek. Uit de kontzak stak het bovenste stuk van zijn katapult. Sam keek er nu ook naar.

'Heb jij nog een katapult?'

De katapult, een stevige gevorkte tak met een stuk binnenbandrubber, was nog uit zijn Dragondertijd. Alle soldaten hadden hun wapens moeten inleveren. Maar Jakko mocht zijn katapult houden, omdat die handig was bij het geitenhoeden. Als er een te ver wegliep, schoot Jakko een steentje voor haar neus in de struiken, en dan rende ze van schrik terug naar de kudde.

'Mag van de Schout,' zei hij nors terwijl hij zijn gulp dichtdeed.

'Jája,' zei Erik ongelovig.

'Dan geloof je het maar niet,' zei Jakko bokkig.

'Rustig man,' zei Sam. 'Al had je een geweer...'

'... daar hebben wij toch geen last van!'

Jakko knikte. Hij had al vaker gemerkt dat Sam en Erik niet héél precies volgens de Wetten leefden.

De tweeling verdween. Jakko begon op een holle steen droge takjes tegen elkaar te zetten voor een vuurtje.

Opeens stond Dana naast hem, met druipende haren en druppels op haar schouders.

'Pas maar op!' zei ze. 'Als hij de rook ziet...!'

'Wie?'

'De Man! We mogen geen fikkies meer stoken. Dat zeggen ze in de Holte.'

'Het is voor het eten,' zei Jakko.

Dana ging nat en wel op een grote steen zitten. Jakko pakte de aansteker uit zijn broekzak.

'Nou ja,' zei Dana, 'kan ons het ook schelen. De Man heeft hier niks te zeggen.' Ze pakte de aansteker uit Jakko's handen en hield hem onder de kleinste takjes. 'Meneer Papadopoulos is de baas en van hem mag het.'

Jakko knikte. Maar opeens schoten hem Rubens woorden te binnen: *Weet je dat zeker? Misschien ís de Man de baas wel...* Het was een vreemd vermoeden, vergezocht ook. Maar als Ruben nou toch gelijk had? Jakko hield Dana's arm tegen.

Langzaam zei hij: 'Dana... Niemand heeft meneer Papadopoulos ooit gezien.'

Geschrokken keek zijn vriendinnetje hem aan.

'Nee! Denk je dat hij... Dat de Man...'

'We wéten het niet,' zei Jakko. 'Hij zóu het kunnen zijn.'

'De Man meneer Papadopoulos? Maar meneer Papadopoulos zou toch gewoon met de boot van de Snorrevrouw komen?'

Jakko haalde zijn schouders op.

'Ach, kan ons het ook schelen,' zei hij. 'Ik heb honger.'

'Ik ook. Wij tweeën trekken ons niks van de Man aan, hoor.'

Fijn klonk dat, vond Jakko. Zij tweeën tegen het soepie.

Dana hield het vlammetje bij het tentje van takjes. Het vatte meteen vlam.

'Gebakken eitje, Jak?'

Vanwege een fik

Toen ze na het eten terug fietsten naar huis, hoorden ze de klok luiden.

'Wat raar,' zei Dana, 'alweer een vergadering in het donker. De kleintjes liggen al in bed.'

'Het is alleen voor de Parlevinkers,' zei Jakko, die de oproep herkende. Maar toen ze even later het dorpsplein op kwamen en hun fietsen wegzetten, zagen ze dat er toch veel toeschouwers gekomen waren. Jakko moest zijn geiten nog melken en voeren, maar hij bleef net als Dana staan luisteren wat er aan de hand was.

De grote eik hing vol papieren. Dana vroeg aan Meral wat die te beduiden hadden.

'Nieuwe regels!' Meral spuugde de woorden uit.

'Regels? Maar we hebben de Wetten toch?'

Tien wetten waren er, en dat vond iedereen genoeg. Hoewel het vooral leuke wetten waren: dat in de liefde alles mocht, bijvoorbeeld.

'Regels, regels, rare regels,' zei Pierre. 'Vouw er maar een bootje van. Stop ze onder zware tegels. Voer ze aan de wateregels. Verkoop ze voor een buidel pegels – en verkoop meteen die Man!'

'Ssst!' werd er geroepen. Een klokslag; Wendel opende de vergadering.

'We moeten stemmen over twee voorstellen,' zei hij. 'Het zwemverbod en het kookcorvee. Wat het zwemverbod betreft: er zit wel wat in. Zwemmen bij eb ís gevaarlijk...'

Fouad, een andere Parlevinker, stak zijn hand op.

'Puntje van orde,' zei hij. 'Gaan we nou alles wat de Man zegt behandelen als voorstellen? Formeel is daar geen reden voor. Ik vind...'

'Saai,' mompelde Dana naast Jakko. 'Als Fouad eenmaal begint met zijn gemuggenzift... Ik ga mijn arme ezeltjes welterusten zeggen. Blijf jij nog? Moet ik de geiten ook doen?'

'Doe maar,' zei Jakko. 'Bedankt.' Hij wilde graag horen wat er werd besproken. Alles wat met de Man te maken had, leek hem persoonlijk aan te gaan. Omdat hij de Man gevonden had.

Dana verdween in het donker en in het gedrang kwam Jakko naast Moon te staan. Dát was nou een meisje dat hij leuk vond. Maar Moon hoorde bij de dure lui uit de Holte. Zij was dikke maatjes met de Schout en de Parlevinkers, en met Mark, die officieel een held was, een Drakendoder, en dus de hele zomer mocht blijven. Mazzelaar.

Moon stond zó dicht naast hem, dat de haartjes op zijn arm overeind gingen staan en zijn vel prikte. Moons huid gloeide van een hele dag zon. Elke zaterdag, als zij aan alle kinderen de spieën uitdeelde die ze met hun werk ver- diend hadden, nam Jakko zich voor een praatje met haar te maken. Hij kwam nooit verder dan: 'Bedankt hè...' Hij voelde zich een ongelooflijke sokkenbol, maar bij Moon in de buurt klapte hij gewoon dicht.

Hij was vergeten op te letten. Maar opeens klonk er weer een klokslag; er moest worden gestemd.

Het zwemverbod werd aangenomen. De Parlevinkers waren het met de Man eens dat in zee zwemmen bij eb te gevaarlijk was.

Jakko balde zijn vuisten: hij was er tégen. Maar alleen Parlevinkers mochten stemmen.

'En dan nu het kookcorvee,' zei Wendel. 'De Man zegt

dat we centraal gaan koken, in de bakkerij. Al die kleine kookvuurtjes zijn te riskant. Vóór de storm heeft het een hele tijd niet geregend. Op andere eilanden zijn al grote bosbranden geweest; straks komt er fik. We spelen met ons leven, zegt de Man.'

Wendel keek zorgelijk. Maar onder de Parlevinkers en ook onder het publiek ging een boos geroezemoes op. Mochten ze nou geen vuurtjes meer stoken?!

'Laat die Man toch opmallewapperen!' riep Pierre, die behalve Pizzabezorger ook Woordenbedenker was. 'Ik kan maar op twee plekken woorden bedenken: bij een waterval of voor een vuur. En je denkt toch niet dat ik elke dag dat hele eind naar het Meer van Glas ga fietsen!'

Ook Losbol, de Kunstschilder en vroeger zakkenroller, roerde zich.

'Geen kunst zonder ziel en geen ziel zonder vuur!' riep hij. Geërgerd plukte hij een citroenballetje uit de lucht – tenminste, zo leek het – en stak het in zijn mond. Toen hij verder sprak, zweefden er allemaal gekleurde belletjes uit zijn mond, die glansden in het licht van de olielamp in de eik.

De Koddebeier stak weifelend zijn hand op. Jeroen was geen Parlevinker en mocht dus niet meebeslissen. Maar Wendel gaf hem toch het woord.

'Het moet wel leuk blijven!' zei Jeroen. 'Geen internet, oké. Geen Playstation, vooruit. Geen mobieltjes: dat moet dan maar. Maar als ze onze vuurtjes afpakken, dan is er geen donder meer aan.'

'Zeg dat wel,' mompelde Moon naast Jakko. Ze praatte tegen hem!

'En trouwens,' zei Renée, 'je hoeft niet te denken dat er gekookt kan worden in de bakkerij, Wendel. Ik heb alle ruimte nodig.'

Alle Parlevinkers keken afwachtend naar Wendel. Maar die staarde somber naar zijn knieën.

'Wat is je probleem, Wendel?' vroeg Marisol lief. 'Zo te zien wil niemand de vuurtjes afschaffen. Nou, dan laten we toch alles zoals het was?' Ze zat als gewoonlijk recht tegenover Wendel in de kring en keek hem vragend aan. Het werd heel stil. Waarom zei Wendel niks?

Eindelijk keek de Voorzitter op.

'De Man,' zei hij moeizaam. 'Ik durf het niet tegen hem te zeggen. Hij… Hij neemt niets van me aan.' Hij boog zijn hoofd.

Ineens begreep Jakko waarom Wendel zo raar deed: hij schaamde zich.

'Het is… Sommigen denken…' Jakko kreeg een kop als vuur, maar iedereen keek naar hem en hij moest wel doorgaan: 'Misschien is de Man wel meneer Papadopoulos.'

Hij voelde Moon schrikken. De andere kinderen zwegen. Toen werd hier en daar geknikt. En ook Wendel leek niet verrast.

'Dat zei ik toch al,' klonk de heldere stem van Ruben.

'Kolossus!' vloekte Pierre met een brandnieuwe vloek. 'Het zal toch niet wáár zijn!'

De Parlevinkers gingen uit elkaar zonder een beslissing te hebben genomen.

Toen ze in bed lagen, zei Dana: 'Weet je… Als de Man zich overal mee gaat bemoeien, konden we net zo goed thuis zijn.'

Jakko gaf geen antwoord. Hij wilde niet naar huis terug. Moon had iets tegen hem gezegd!

'Ik zou wel willen weten hoe het met mijn moeder is,' zei hij. Zijn moeder was ook bang voor Terror Terry.

Het was een tijdje stil. Toen vroeg Dana: 'Heb je er spijt van? Van die fik?'

Jakko gaf niet meteen antwoord. Wat hij en Dana op hun geweten hadden, was écht foute boel. De meeste kinderen zaten op Drakeneiland omdat ze lastig waren geweest. Sommigen hadden per ongeluk iets ergs gedaan, zoals Marisol, die haar broertje de weg op had geduwd. Bij anderen was het alleen maar kattenkwaad. Sam en Erik bijvoorbeeld hadden waterballonnen vol gepiest en ze van de zesde verdieping op voorbijgangers laten vallen. Goed, de Schout had tasjes gejat en Losbol was zakkenroller geweest. Maar wat Dana en Jakko hadden gedaan, was toch erger. Zij hadden brandgesticht.

Ze waren ook zó verschrikkelijk boos geweest! Dana eigenlijk nog meer dan Jakko. Toch ging het om Jakko.

Jakko had het klassenschrift mee naar huis gehad. Het was zijn beurt om de weekkalender te versieren en hij had het tijdens school niet af kunnen krijgen. Toen het schrift maandag niet in de klas was, werd Jakko natuurlijk ondervraagd. Maar hij had het niet uit willen leggen. Koppig had hij zijn mond dichtgehouden, ook toen de juf hem de klas uit stuurde. En nog steeds toen het hoofd hem streng ondervroeg. Schoppend en bijtend had hij zich uit het kamertje los gevochten. Toen werd hij geschorst. Maar hij was blijven zwijgen. Hij had niets kúnnen zeggen. Anders was alles uitgekomen.

Het was zoals gewoonlijk met bier begonnen. Terry had het mooie schrift als onderzetter gebruikt. Er waren bierkringen op gekomen. Jakko was boos uitgevallen, Terry had het schrift naar hem toe gesmeten, Jakko had het nijdig teruggegooid en toen had Terry het doormidden gescheurd.

Jakko's moeder was zich ermee komen bemoeien. Ten slotte had Terry háár geslagen.

Jakko was naar Dana's huis gevlucht, zonder zijn moeder te hulp te komen. Wat hij zichzelf niet kon vergeven.

Daar kon hij toch zeker niet over praten? Toen ze hem van school stuurden, zwierf hij drie dagen over straat, want als ze het thuis wisten, zou hij met de riem hebben gekregen.

Dana was woedend. Wie aan Jakko kwam, kwam aan haar. Daarom had ze 's avonds met Jakko afgesproken achter de gymzaal. En toen bleek ze een tankje brommerbenzine bij zich te hebben en een aansteker. Jakko had geprobeerd haar tegen te houden. Maar Dana liet zich niet overhalen.

'Doe dan alleen de fietsenstalling,' had Jakko gesmeekt.

En dat deed Dana toen. Eigenlijk hadden ze geen van beiden verwacht dat er echt brand van zou komen. Maar dat gebeurde wél, en het werd een reuzenfik. Bijna was de gymzaal er ook nog aan gegaan! Een grimmige kinderrechter had hen zonder pardon naar Drakeneiland gestuurd.

En nou wilde Jakko daar niet meer weg. Niet vóór Ajuparaplu tenminste, aan het einde van de zomer.

'Nee,' zei Jakko, 'ik heb tóch geen spijt.'

Dana begreep hem verkeerd.

'Nee hè. Het was een pracht van een fik,' zei ze.

Oproer

Jakko was net in slaap gevallen, toen hij wakker schrok van rennende voetstappen. Er klonk opgewonden gefluister. Hij sprong uit bed en liep door het donker naar het raam. Ja, er holden kinderen voorbij, ze schoten van huis naar huis en klopten op deuren. Nu kwamen er ook een paar de veranda van Jakko en Dana op. Jakko deed de deur open. Het waren Pierre en Myrna.

'Kom mee, Jakko, we gaan zwemmen!'

'Nu? Ik sliep al.'

'In zee!' zei Myrna opgewonden. 'Bij eb! We pikken het niet langer!'

'Nu mogen we ook al niet meer buiten na zonsondergang,' zei Pierre verontwaardigd. 'We gaan zwemmen om te protesteren.'

'Tegen wie, tegen wat?' vroeg Dana slaperig. Ze kwam in haar nachthemd naast Jakko staan.

'Tegen de Man natuurlijk. Met zijn regels. Wat denkt hij wel!' Myrna was echt boos.

'Schiet nou maar op.' Pierre sprong de veranda af. Myrna volgde, en ook Dana rende hen achterna, gewoon in haar nachthemd.

Toen ging Jakko er ook maar achteraan, in zijn onderbroek.

Van alle kanten kwamen kinderen, ook uit de Holte en de Diepte. Ze deden hun best niet te joelen en te lachen. Gelukkig sliep de Man ver weg in de Diepte.

De Drakeneilanders verdrongen zich op het kronkelige pad dat naar beneden voerde, door de Groene Heuvels naar de haven. Een paar kleintjes, in de war door het nachtelijke rumoer, begonnen te huilen. De scherpe steentjes op het pad deden pijn aan hun voeten. Er werd luidruchtig 'Ssst!' geroepen.

Jakko en Dana holden mee. Op het strand gooiden alle kinderen hun kleren uit. De branding schitterde, alsof ze ook wilde protesteren. Juichend rende een hele troep bloot de zee in. Anderen sprongen van de steiger. En toen gebeurde er iets geweldigs. Overal waar kinderen in de golven rondspartelden, begon de zee licht te geven. Het leek wel alsof er miljoenen vonkjes in dreven.

'De zee licht!' juichte Renée.

'Aaaahhh!' zuchtten de jongsten.

'Niks bijzonders,' pruttelde Jonathan, die in de deuropening van zijn kantoortje stond. Jakko hoorde hem omdat hij nog op de kant stond te kleumen. 'Gewoon een soort algen.'

'Hou je mond toch! Het is een wonder!' zei Dana, die Jakko in zijn arm stond te knijpen. Jakko keek haar verbaasd aan. Zo kende hij Dana niet.

Opeens trok ze hem mee. Met een indianenkreet sprong ze van de steiger, met nachthemd en al, en ze sleurde Jakko mee. Even later konden ze zelf zien hoe de lichtjes van hun armen afspatten.

'Glitter,' zei Dana.

'Vonken,' zei Jakko.

'Sterrenstof.'

'Ach jij.'

Met haar handen door het water maaiend rende Dana weg, en waar ze liep, ontstond een lichtspoor. Jakko sprong achter haar aan. Hij stortte zich in het gewoel. Moon was er ook! Overmoedig duwde Jakko haar kopje onder, vonkjes wolkten om haar heen. Jakko liet los.

Proestend kwam ze tevoorschijn uit lichtgevend schuim. Jakko had nog nooit zoiets moois gezien.

Hij zwom weg met woeste slagen, in de hoop dat ze achter hem aan zou komen. Maar dat deed ze niet. Jakko stond op en slaakte een wolvenkreet waar zijn geiten kippenvel van zouden krijgen. Toen dook hij weer in de golven.

Op het strand waren een paar kinderen bezig een enorme stapel brandhout te verzamelen. Jeroen stak de fik erin. Na een paar minuten laaide het vuur zo hoog op, dat een nieuwe vonkenregen losbarstte, deze keer in de lucht.

Toen klonk boven het geschreeuw en geroep en gelach en gespetter uit het geluid van de klok in de eik. Het leek

57

een alarmsignaal. In ieder geval betekende het: allemaal komen.

Het duurde een tijdje voor de eerste kinderen bereid waren de lichtende zee te verlaten. Maar schoorvoetend kwam toch de een na de ander het strand op. Ook Jakko en Dana scharrelden hun kleren bij elkaar. In zwijgende rijen, lang niet zo snel als ze waren gekomen, liepen de natte kinderen omhoog langs het pad. Onderweg sjorden ze lukraak kledingstukken over hun natte lijven.

Op het plein van Akropolis stonden Wendel en Fouad, als enigen helemaal aangekleed en droog. Ze stonden als wrekers midden in de kring van bankjes. Mo maakte zich klein op zijn tak. Zonder iets te zeggen namen de kinderen hun plaatsen in op de bankjes en eromheen. Er was een windje opgestoken; ze huiverden opeens.

'Bij deze,' zei Wendel op bedroefde toon, 'dien ik een klacht in tegen jullie allemaal. Jullie hebben drie verboden tegelijk overtreden: zwemmen bij eb. Open vuur. Na donker buiten. De Schout zal jullie morgen allemaal berechten.'

Opeens was er beweging in de omstanders. Liam sprong tussen twee Parlevinkers door in de kring.

'Mooi niet!' riep hij. 'Ik berecht helemaal niemand. Die regels gelden helemaal niet.'

De omstanders loeiden, klapten in hun handen, floten en stampten.

'Maar als hij nou meneer Papadopoulos is...' probeerde Wendel. Hij kwam er niet bovenuit.

Liam keek grijnzend in het rond.

Hij riep: 'Nog beter, ik leg mijn baantje neer! Vanaf nu doet Drakeneiland het maar zonder Schout. Ik kom pas terug als die Man is opgemallewapperd.'

'Liam, alsjeblieft! Laten we nou eerst even overleggen.'

Liam sprong als een eekhoorn in de boom bij Mo. Hij schreeuwde: 'Weg met de Man!'

'Liam! Liam! Liam!' schreeuwden de kinderen op het plein.

Wendel probeerde wat te zeggen, maar de Drakeneilanders beletten hem simpelweg het spreken. Na een tijdje gaf Wendel Fouad een duwtje tegen zijn arm. Samen verlieten ze de kring. De andere Parlevinkers stonden ook op. Spijtig keek Jakko toe hoe Moon bij Marisol achterop klom. Pas toen alle Parlevinkers waren verdwenen, bedaarde het geschreeuw.

Niet zo veel later liepen Jakko en Dana naar huis. Ze hadden hun armen om elkaars schouders geslagen, wat ze anders nooit deden. En niemand die er wat van zei – zelfs Ruben niet, die voorbij fietste op weg naar de Holte.

'Wat een nacht, hè,' zei Dana.

'Ja,' zei Jakko, 'wat een nacht!'

Jakko was niet iemand die snel ergens op afstapte. Hij bemoeide zich liever niet met zaken die hem niet aangingen. Hij was geen Mark, hij probeerde niet de held uit te hangen. Mark zou een drenkeling niet zomaar op het strand hebben achtergelaten, tenminste niet zonder eerst te zijn gaan kijken. Jakko wachtte liever eerst af of de kat soms vanzelf uit de boom klom. Hij was ook niet als Wendel en Fouad, die dachten dat je met praten alles op kon lossen.

Nee, Jakko was de Geitenhoeder, en dus hoedde hij geiten. Iedereen moest maar doen waarvoor hij was aangesteld. Wendel en zijn Parlevinkers hoorden te zorgen dat alles op rolletjes liep. De Schout en de Koddebeier zorgden dat er niet gestolen of gevochten werd. De Schatbewaarder zorgde voor de spieën. Enzovoort. Dus ze zochten het maar uit met hun regels en hun Man. En als ze dat niet voor elkaar kregen, nou, dan hadden ze pech. Als ze hem en Dana maar met rust lieten.

Maar toen hij 's ochtends met zijn kudde door de Groene Heuvels dwaalde, zat het hem toch niet lekker. Sinds de Man was opgedoken, was er onrust op het eiland. Het protest van de vorige avond was heel lollig geweest. Maar vroeger was het nooit nódig geweest om te protesteren.

Toen hij in de verte een glimp opving van de Man, kon hij het niet laten om een kleine omweg te maken om aan de weet te komen wat die in zijn schild voerde. Had de Man iets gemerkt van het oproer? Sam en Erik waren er 's nachts niet bij geweest.

De Man stond bij het magazijn. Hij bonkte op de deur; kennelijk werd er niet opengedaan. Jakko drentelde dichterbij. De Man keek om.

'Openmaken. Ik moet batterijen hebben.'

'Alleen Stijn heeft de sleutel,' zei Jakko. 'Ik ben de Geitenhoeder.'

'Aha. Ja, ik ruik het. Nou, sta daar niet te staan. Roep die Stijn voor me.'

'Ik weet niet waar hij is,' zei Jakko onwillig.

'Zoek hem dan!'

'Ik moet bij mijn geiten blijven.'

'Lapzwans!' brieste de Man.

Jakko haalde zijn schouders op. Intussen bekeek hij de Man eens wat beter. Die was donkerblond, roodverbrand en spekkig. Heel anders dan Jakko zich meneer Papadopoulos had voorgesteld. Hij had altijd gedacht dat meneer Papadopoulos mager zou zijn. Dat hij een vriendelijk gezicht zou hebben met rimpeltjes bij zijn ogen. Misschien had hij een zwarte snor, een bruine huid, en ja: grijs haar. De Man zag eruit als een doodgewone toerist.

Op de deur hing een briefje. Jakko wees ernaar en las het zelf ook.

Sorry! Gesloten. Ik ben naar de wal met Jonathan. Morgenmiddag is het magazijn weer open. Stijn

'Is hij weg?' vroeg de Man.

'Naar het vasteland,' zei Jakko. Hij wist niet zeker of de Man dat begreep. 'Met de boot.' Hij vond dat Jonathan en Stijn de Man wel mee hadden kunnen nemen. Waarom hadden ze dat niet gedaan? Omdat ze bang waren dat hij meneer Papadopoulos was? En dus waren ze er maar stiekem tussenuit geknepen... Stelletje lafbekken!

'Wat was dat kabaal vannacht?' vroeg de Man. 'Dat moet ophouden. De nacht is om te slapen. Ik accepteer dit niet.'

Iemand moest het doen, dacht Jakko. Iemand moest vragen of het waar was. En hij stond hier nou eenmaal.

'Is het eiland van u?' vroeg hij. 'Bent u meneer Papadopoulos? Bent u de baas van de hele boel?'

'Ik versta je niet,' zei de Man.

Hij duwde Jakko aan de kant en liep met ongeduldige stappen het pad af, terug naar de weg. Ja, hij deed Jakko echt aan zijn stiefvader denken. Hij moest even moed verzamelen, maar toen draafde hij erachteraan. De geiten renden mee en liepen hem voor de voeten.

'Meneer! We moeten het weten! Heet u Papadopoulos?'

'Klets niet zo stom,' zei de Man. 'Papadopoulos? Een Griek? Ik haat Grieken. Bedriegers. Dievenvolk.'

Jakko hield in.

Nee. Dit kon meneer Papadopoulos niet zijn. Niemand zou zo lelijk over zijn eigen mensen praten.

Wat een opluchting! Ze hoefden zich helemaal niet te houden aan de regels van de Man! Het was gewoon maar een drenkeling, een gast, meer niet. Hij had helemaal geen sikkepit te zeggen op Drakeneiland.

Dat moesten de anderen weten!

Maar... wie zou hem geloven?

De Parlevinkers luisterden niet naar Jakko, die naar geiten stonk. Jakko, die bij de Dragonders was gegaan en dus niet te vertrouwen was. Misschien zou zelfs Dana hem niet geloven.

Nee, hij moest eerst meer weten. Bewijzen had hij nodig. Hij moest aan de weet zien te komen wat die Man voor heerschap was, en wat hij van plan was.

Slecht plan

Jakko ging met zijn kudde achter de Man aan. Het tempo lag een beetje te hoog voor de geiten, die overal lekkere hapjes zagen en geen zin hadden om te hollen. Maar Jakko joeg ze op met kluitjes aarde uit zijn katapult. Af en toe protesteerden ze luid, maar gelukkig keek de Man niet eens om.

Plotseling verdween hij tussen twee heuvels. In de lucht erboven rukte Losbols vlieger aan zijn touw. Ze waren vlakbij de Diepte. Hier ergens lag de groentetuin van Sam en Erik. Jakko nam de kudde mee naar een weitje met mals gras en toen ze rustig stonden te grazen, sloop hij in de richting van de tuinderij. Achter het laatste heuveltje liet hij zich vallen. Voorzichtig loerde hij over de rand.

De storm had aardig huisgehouden in de tuin. Sam en Erik waren bezig de gehavende tomatenplanten te redden. Uit de Diepte kwam een vlaag muziek overwaaien; er was een band aan het oefenen. Precies tegelijk hielden Sam en Erik op met werken. Ze luisterden. De tweeling had duidelijk veel meer zin in muziek maken dan in tuinieren. Ze wisselden een blik, haalden hun schouders even op en gingen weer door.

De Man stond toe te kijken met zijn handen in zijn zakken. Hij praatte zo luid dat Jakko hem makkelijk kon verstaan.

'Ik moet terug,' zei de Man. 'Naar Rhodos, naar mijn hotel. Geef me een boot.'

'We zouden wel willen...' zei Sam.

'... maar wij hebben geen boot.'

'Jonathan is de Vlootvoogd...'

'...en hij is weg...'

'...met de motorboot.'

'Verder zijn er alleen roeiboten...'

'...en de reddingsboot natuurlijk.'

'Maar ik moet absoluut terug naar mijn hotel!'

Sam en Erik keken elkaar aan. Erik plukte een halfrijpe tomaat en nam een paar happen. Kauwend staarde hij in de verte. Toen gaf hij de tomaat aan Sam, die hem verder opat.

'Slecht plan,' zei Sam.

'Maar aan de andere kant...'

'... een kans voor ons.'

'Je gitaar ligt thuis maar te liggen,' zei Erik.

'Jouw drumstel wacht op je.'

'Playstation!' zeiden ze tegelijk.

De man begon met zijn voet op de grond te tikken.

De tweeling knikte.

'Goed dan,' zei Erik.

'Morgenvroeg bij zonsopgang,' zei Sam.

'Zorg dat u klaarstaat.'

Geschokt sloop Jakko terug naar zijn geiten. Sam en Erik gingen de reddingsboot stelen! Inderdaad een slecht plan!

Die hele dag, terwijl hij met de kudde door de Groene Heuvels zwierf, vroeg Jakko zich af wat hij moest doen. Drakeneiland kon niet zonder de reddingsboot, zeker nu de motorboot weg was. De roeiboten werden gebruikt om te vissen. Ze voeren alleen voor de zuidkust van het eiland, waar het veilig was. Maar aan de noordkust waren gevaarlijke stromingen en kolken. Als daar iets zou gebeuren, had je niets aan een roeiboot. Daar kon je alleen met een motorboot iets beginnen. Het was een veilig idee dat er altijd één motorboot aan de steiger lag. De radio kon uitvallen, dat zag je nu maar. Als er een kind ziek zou worden, levensgevaarlijk ziek, dan kon het toch binnen een dag in een ziekenhuis liggen. Dankzij de reddingsboot.

Wat als de tweeling ervandoor zou gaan met de reddingsboot, en er gebeurde een ongeluk of zo? Dan was het Jakko's schuld dat ze geen hulp konden halen. Dan had híj het weer gedaan, omdat hij zijn mond had gehouden. Dan hoefde je niet te raden wat er zou gebeuren: met Astalabiesta naar huis. Weer toekijken hoe Terry zijn moeder vernederde... Nee! Hij moest het melden aan de Parlevinkers. Ook al zouden ze hem scheef aankijken. Ook al zou hij gaan stotteren. Ook al zouden ze hem misschien niet geloven.

Hij plukte onder het lopen een grasspriet en kauwde het sap eruit. Hij zag er ontzettend tegenop om naar de Parlevinkers te gaan. *Ik heb de tweeling afgeluisterd en de Man die volgens jullie meneer Papadopoulos is...* Ze zouden hem zien aankomen! Jakko de verrader zou hij zijn.

Maar hij hóéfde niets te zeggen. Niemand wist wat hij wist. Wat zou er gebeuren als Jakko zijn mond hield? Dan zou de tweeling er met de boot vandoor gaan. Terug naar huis, naar hun gitaar en drumstel en Playstation. De Man zou aan boord zijn. Die zou nooit meer terugkomen. Drakeneiland zou weer Drakeneiland worden. Dat was ook veel waard. De Geitenhoeder zou in zijn eentje door de heuvels dwalen en niemand zou aan hem kunnen zien dat hij er meer van wist... Zelfs tegen Dana zou hij moeten zwijgen. Dana was een flapuit. Die wist niet wanneer ze haar mond moest houden.

Jakko bleef erover nadenken terwijl hij zijn brood met olijven at langs de kant van de weg. Af en toe fietste er iemand voorbij, van of naar de Diepte. Jakko stak zijn hand op, de ander zwaaide. Dat was genoeg, vond Jakko, en de meeste eilanders wisten dat hij liever op zichzelf bleef. Maar vandaag stapte er iemand af. Pierre, die met een volle mand pizza's naar de Diepte was gereden op etenstijd, stopte op de terugweg voor een praatje.

'Gaaf, hè, dat eb-oproer vannacht!' zei hij.

Jakko knikte.

'De meeste kinderen hebben er trouwens spijt van. Jij?'

Jakko schudde zijn hoofd.

'De meesten denken dat de Man meneer Papadopoulos is,' zei Pierre. 'Ze zijn bang voor hem. Vooral de kleinere kinderen.'

'De Man, de Man, ik word ziek van die Man!' viel Jakko uit. Hij had er meteen spijt van, want Pierre keek zo gek naar hem.

Toch klonk de stem van de Pizzabezorger heel gewoon toen hij zei: 'Het kan anders best, hoor. Dat meneer Papadopoulos zelf op Drakeneiland is komen kijken. Incognito, zoals dat heet.'

'Nee,' zei Jakko. 'Hij...'

Pierre liet hem niet uitspreken.

'Er is over vergaderd,' zei hij. 'De Parlevinkers hebben erover gesproken en besloten dat de Man meneer Papadopoulos is.'

Jakko's mond viel open. Waren die Parlevinkers soms gek geworden? Ze konden net zo goed besluiten dat het morgen ging regenen.

'Dus nou weet je het,' zei Pierre. 'We moeten allemaal doen wat de Man zegt. Anders worden je spieën ingehouden morgen.'

Ja, morgen was het betaaldag. Dan zou hij Moon weer zien, als ze op het dorpsplein zat met haar kistje vol koperen staafjes. Even vroeg Jakko zich af of hij deze keer iets tegen haar zou durven zeggen.

'Als de Parlevinkers iets besluiten, dan ís het zo,' zei Pierre.

'Maar wat denk jij zelf?' vroeg Jakko voorzichtig. Pierre was tenslotte een van de leiders van het oproer geweest.

Pierre pikte een olijf van hem, sprong op en sloeg het zand van zijn broek.

'De meerderheid is de baas, hè.' Hij grijnsde.

'De meerderheid is gestoord,' zei Jakko. 'Maar de Man gaat morgen tóch weg. De tweel- eh... twee kinderen gaan de reddingsboot voor hem stelen.'

Oeps! Dat had hij helemaal niet willen zeggen!

'Echt waar?' Pierre keek hem onderzoekend aan. Jakko begon te hakkelen. Bewijzen had hij niet. En zou hij het wel goed begrepen hebben? Sam en Erik hadden niet met zoveel woorden gezégd dat ze de reddingsboot gingen stelen.

'Dat kan een test zijn,' zei Pierre opgewonden. 'Ja, man, als het écht meneer Papadopoulos is! Dan wil hij vast weten of we wel braaf zijn. Daarom bedenkt hij van die rare regels. Om ons op de proef te stellen.'

Ja, dat kon ook nog.

Jakko sloeg nadenkend met een tak tegen zijn been.

'Ik heb het gevraagd,' zei hij. 'Aan de Man. Hij zei zelf dat hij meneer Papadopoulos niet was.'

'Ja, slimpie, hij gaat het geheim toch niet verraden! Hij wil natuurlijk incognito blijven!'

Het duizelde Jakko. Opeens waren er zo veel mogelijkheden. De Man kon een gewone drenkeling zijn. Of niet. De tweeling ging een boot voor hem stelen. Of niet.

Maar áls hij meneer Papadopoulos was en áls de tweeling de boot stal en áls het dan een test was... Dan zou meneer Papadopoulos Drakeneiland wel eens op kunnen doeken!

Jakko snakte naar adem.

'Verduizend! Straks heft hij Drakeneiland nog op!'

En dan moest Jakko tóch naar huis. Fijn de hele zomer pilsjes halen voor Terror Terry.

Hij sprong op.

'We moeten het aan de Parlevinkers melden!' zei hij.

'Goed plan,' zei Pierre en hij trok een grimas. 'Gaan ze er eerst weer drie dagen over vergaderen.'

Jakko hurkte weer neer. Pierre had gelijk. Als er iets gedáán moest worden, had je niet zoveel aan de Parlevinkers. Sinds de Man was gekomen, leken ze wel verlamd.

'We kunnen naar Jeroen gaan...' zei hij aarzelend.

'Tja,' zei Pierre. 'Als jij denkt dat het echt zo is. Als het waar is dat ze die boot gaan stelen... Je weet het toch wel zeker? Anders ben jij zelf de pineut. Tweede Wet, hè.'

Nee! Jakko wist helemaal niet zeker wat Sam en Erik van plan waren. En kwaadspreken mocht niet, de Tweede Wet verbood het. Daar kon hij óók voor weggestuurd worden! Waarom had hij nou zijn mond voorbij gepraat. Tegen Pierre nog wel, die als een oud wijf alles doorklepte. Heftig schudde hij zijn hoofd.

'Nee, nee. Ik kletste maar wat. Je weet hoe die tweeling praat, je kunt er nooit een touw aan vastknopen. Het zal wel een geintje geweest zijn. Vergeet het maar. Ik heb niks gezegd.'

'Je zei wél wat,' zei Pierre.

'Echt niet!' zei Jakko benauwd. Pierre zou het meteen rondvertellen op het eiland: *Jakko beweert dat de tweeling een boot gaat stelen.* En Sam en Erik keken dan natuurlijk wel link uit. Voor hij het wist, zou Jakko van het eiland worden gegooid.

Nee, hij kon niemand vertrouwen. Hij zou de tweeling moeten betrappen. Met eigen ogen vaststellen dat ze de reddingsboot pikten. Dan pas kon hij iets doen.

De botendieven

Dana keek verbaasd toen Jakko meteen na het melken naar bed ging.

'Ben je ziek?'

'Neu...' zei Jakko vaag. 'Niet echt. Beetje moe.'

'Jij moe! Nou, dat is dan voor het eerst sinds ik je ken.'

Ze ging op zijn bed zitten, boven op de deken, zodat zijn voeten klem kwamen te zitten. Ze rook heel erg naar ezel.

'Je stinkt naar geit,' zei Dana. 'Had je niet even kunnen douchen?'

Jakko gaf geen antwoord.

Dana keek naar zijn gezicht of ze een spin bestudeerde.

'Er is iets.'

Jakko draaide zich om naar de lemen wand. Hun huisje was blauw geverfd aan de binnenkant. Zogenaamd omdat er dan geen vliegen binnenkwamen. Maar er zat wél een vlieg, en die kroop langs de wand omhoog, blauw of niet blauw. Jakko keek naar zijn glinsterende groene lijfje. Er moest ergens een dood beest liggen, dit soort vliegen at aas. Misschien de kip die ze begraven hadden.

'Ik weet heus wel dat je me hoort,' zei Dana kribbig.

Maar Jakko had echt niet geluisterd.

'Het is weer net als toen je soldaatje liep te spelen met die Dragonders. Toen zei je ook geen boe of bah.'

'Omdat jij boos was.'

'Omdat jij stom deed.'

'Ik deed niet-'

'Wel! Ontzettend stom en je mag blij zijn dat ik nog met jou wil praten. Dus. Wat is er? Niet liegen.'

'Niks,' zei Jakko koppig. 'Ik wil slapen, stil nou.'

'Sokkenbol,' schold Dana. 'Luieremmer. Dropzak.'

Jakko gaf geen sjoege. Het waren woorden van Pierre en ze deden geen pijn. Maar Dana had gelijk: het was bijna weer zoals toen hij bij de Dragonders was.

Toch moest hij zwijgen. Morgen zou ze het wel begrijpen.

Jakko sloop door het dorp. Hij was alleen – de geiten had hij met wat biks gesust voor hij was weggeslopen. Het gaf hem een kaal gevoel, alsof hij niet helemaal compleet was.

Bijna iedereen sliep nog en het licht was nog grijs. Uit de schoorsteen van de bakoven kwam rook. Renée was in het gebouwtje bezig deeg te kneden; met harde klappen kwam het op tafel neer. Door het open raam hoorde hij haar praten met Koen, een van haar hulpjes. Hij dook weg tussen de oven en het postkantoor toen hij een fiets aan hoorde komen. Het was Ronda, die tegenwoordig de Tamtam rondbracht. Een plof gaf aan waar zij de krant op een veranda gooide. Het ploffen werd steeds zachter en verdween.

In de Groene Heuvels rook het fris en kruidig. Hier en daar hing nog een sliert nevel, maar het licht werd al roze. Jakko draafde het pad af naar beneden. De zolen van zijn gympen dempten het geluid – er zat lucht in. Af en toe kraakte een takje, rolde een steentje weg. Alleen iemand die heel scherp luisterde, zou weten dat hij eraan kwam.

Daar stonden ze! Bij de laatste bocht dook Jakko van het pad af. Hij verstopte zich achter een struik met zilveren blaadjes. De tweeling was alleen op de steiger. De deur van het havenkantoortje was dicht en de luiken gesloten. Als Jonathan een vervanger had achtergelaten – en dat moest

wel – lag die nog te slapen. De Man was nergens te bekennen. Erik hielp Sam aan boord van de reddingsboot, een rubberen gevaarte dat stevig op het water lag, en maakte het eerste van twee touwen los. Toen hij bij het tweede kwam, aarzelde hij even. Hij legde zijn hand boven zijn ogen en keek in de richting van de heuvels. Jakko dook dieper weg.

Waar bleef de Man? Zo lang die er niet was, zat hij hier goed. Ze zouden niet wegvaren zonder hem. Jakko kon van deze plek alles goed in de gaten houden. Als de Man kwam, hoefde Jakko alleen maar de bewaker in het havenkantoortje wakker te schreeuwen.

Toen gebeurde er iets wat Jakko niet had verwacht. Erik gooide de tweede tros in de boot en sprong erin. Sam zat al klaar bij de motor. Eén, twee keer trekken en hij sprong aan. Eerst pruttelend en hikkend, maar toen snorrend als een poes maakte de boot zich los van de steiger.

De deur van het havenkantoortje ging open.

'Hé!' riep Jeroen schor. 'Terugkomen!'

Erik en Sam hadden zich op de bodem van de boot gegooid. Jakko kon hen nog steeds zien, maar Jeroen daar beneden niet. Jeroen rende op blote voeten naar het einde van de steiger en schold zich de longen uit zijn lijf – en niet met woorden die Pierre verzonnen had.

Nog even wachtte Jakko, tot hij zag waar de reddingsboot heen voer: naar het oosten langs de kust. Toen maakte hij dat hij wegkwam. Jeroen zou zo meteen langs het pad omhoog komen om hulp te halen. Straks verdacht hij Jakko er nog van dat hij de tweeling geholpen had!

'Hé daar!' riep Jeroen.

Jakko dook weg achter een heuvel en rende door. Hij hield ook oostelijk aan, zigzagde om heuvels, bosjes en prikkelstruiken heen. Hij liet het dorp links liggen en zette een sukkeldrafje in. Hij zou zorgen dat hij de twee-ling te slim af was!

Want hij snapte nu waarom de Man niet was komen opdagen bij de haven. De Man leek op zijn stiefvader. En Terror Terry zette nooit één stap als het niet hoefde. Lie-ver commandeerde hij zijn huisgenoten: 'Pak eens een pilsje voor me, geef de afstandsbediening eens aan...' De Man was te lui geweest om helemaal naar de haven te lopen. Die was gewoon naar het dichtstbijzijnde strand gewandeld. *Pik me daar maar op*, had hij vast gezegd.

Jakko was een minuut of tien onderweg toen in het dorp alarm werd geslagen. Sukkels, dacht Jakko. Wat konden ze nou beginnen?

Het enige resultaat zou zijn dat Mo met zijn gebeier alle bewoners van de Diepte naar het centrum lokte, zodat de Man ongestoord aan boord zou kunnen gaan. Fluitend zou hij om het eiland heen kunnen varen, en koers zetten naar Rhodos.

En als hij tóch meneer Papadopoulos was... dan zou hij een grote rode streep door Drakeneiland zetten. Rotkin-deren blijven rotkinderen, zou hij concluderen. Project mislukt... Nog één keer zou de Snorrevrouw komen, om alle kinderen op te halen. En dan: finito. The End. Terug naar Terror Terry. Terug naar de school waar hij voor aso werd uitgescholden.

Jakko was harder gaan hollen. Hij had nu spijt dat hij alles alleen had willen doen. Had hij tenminste Dana maar in vertrouwen genomen. Dan had zij hem kunnen helpen. Hoe kon hij de tweeling nou in zijn eentje tegenhouden? Ze zouden niet naar hem luisteren, zo ging dat altijd.

Nadenken, hij moest nadenken! Maar dat was behoor-lijk moeilijk als je je longen uit je lijf hijgde. Hij moest nu vlakbij het magazijn zijn. Dan was het niet meer zo ver... Ja, daar was het pad al.

Maar om een bocht knalde hij tegen een ezel op. De ezel schrok en sprong van het pad af. Zijn zusje balkte luid en rukte met haar kop. Een draagmand raakte los en de inhoud rolde een stukje de helling af.

'Kun je niet uitkijken!'

Wat deed Dana zo vroeg op pad? Het was nog geen zeven uur!

'Ik kon niet meer slapen,' zei ze knorrig. 'Jouw schuld.' Ze ging de mand achterna.

'Dana! Kom mee naar het strand!' Hij kon het allemaal niet zo snel uitleggen. Ze zou het zelf wel zien.

Maar Dana maakte geen aanstalten om mee te komen. Ze raapte zakken rijst bij elkaar, veegde het stof eraf en deed ze terug in de draagmand.

'Dana!'

Jakko kon niet wachten, hij rende door. Als hij te laat kwam...

Hij kwám te laat. Toen hij eindelijk bij de strandweg was die van de Diepte naar de zee leidde, stak de reddingsboot juist van wal. Met de Man aan boord...

Jakko sloeg met zijn vuist in zijn hand.

'Verduizend! Verduizend! Verduizend!'

Op de kustweg stond hij uit te hijgen. De tweeling, in de verte, sloeg triomfantelijk de handpalmen tegen elkaar. De Man maakte van de gelegenheid gebruik het roer over te nemen. Hij gaf een stoot gas. Daar gingen ze, in oostelijke richting om de punt van het eiland heen.

Drakeneiland was zijn reddingsboot kwijt.

En erger: straks zou Drakeneiland ophouden te bestaan.

De list met de vlieger

De juf zei altijd dat er niks mankeerde aan Jakko's hersens, ze moesten alleen af en toe opgepord worden. De diefstal van de boot was zo'n por. Het leek alsof er een deurtje openging in zijn hoofd. De ene na de andere goede gedachte stormde naar binnen.

Eerste goede gedachte: om bij Rhodos te komen moesten de dieven om Drakeneiland heen varen.

Tweede goede gedachte: als je over land ging, sneed je een heel eind af. Op de fiets kon Jakko er sneller zijn dan zij.

En dan?

Jakko rende al terug naar de Diepte. Tijdens het rennen dook de derde goede gedachte op: in het noorden lag de Kolk. Wie in een draaikolk raakte, kon niet naar Rhodos varen... Hij moest ze naar de Kolk lokken. Op de een of andere manier. Maar hoe... maar hoe?

Vlakbij de Diepte kwam hij op de vierde goede gedachte: Losbols vlieger! Die kon je van verre zien. Hij moest er iets op schrijven, een boodschap. Losbol had ook verf. Ja, dat kon. Nu nog de goede woorden bedenken. Waarvoor zou de Man terugkomen naar Drakeneiland?

Niet omdat Jakko dat vroeg.

Niet omdat de Parlevinkers dat zo graag wilden.

De Man dacht alleen aan zichzelf. Dus... Jakko moest hem lokken met iets dat in zijn voordeel was. Wat zou de Man nog liever willen dan met de reddingsboot zo snel mogelijk naar zijn hotel op Rhodos terug varen?

Denk! dacht Jakko. Denk dan! Het ging moeilijk, hij was

doodmoe van het heuvelop rennen. Maar er was nog een kans! Hij moest alleen snel zijn. Buiten adem of niet, rennen moest hij!

En daar ging hij al, langs de weg omlaag naar de Diepte. Met één blik overzag hij het pleintje in het midden van het dorp. Gelukkig, er stonden fietsen genoeg in het rek. Vlak voor de wielen van Mo, die bezig was de post rond te brengen, rende Jakko naar de overkant. De werkplaats van Losbol en Luilebal stond open. Ze waren half in de openlucht aan het werk, Luilebal onder de klei en Losbol met klodders blauwe verf in zijn oranje haar. Hijgend stormde Jakko de werkplaats in.

'Zó hé!' zei Luilebal. 'Aan het oefenen voor de marathon?'

'Ben je je geiten kwijt?' vroeg Losbol.

Die wisten dus nog niet dat de reddingsboot gestolen was.

Jakko stond uit te hijgen met zijn ellebogen op zijn knieën, hij kon nog geen woord uitbrengen. Eindelijk zei hij: 'Losbol, mag ik je vlieger lenen?'

'Maak er zelf maar een,' zei Losbol. 'Zal ik je leren hoe het moet? Anders maak ik er wel een voor je.'

'Nee!' Jakko schreeuwde het uit. 'Het is belangrijk! De Man, hij...'

'De Man?' riep Luilebal. 'Die Man kan alle vier mijn wangen kussen. De twee naast mijn mond en de twee naast mijn-'

'Stil nou!' gilde Jakko. 'De Man is weg! Hij heeft een boot gestolen! Ik heb je vlieger nodig en verf. Snel!'

'Ik snap er niks van,' grinnikte Losbol, 'maar het klinkt als een plan.' Hij trok de vlieger achter een stapel schilderijen vandaan. De vlieger, die van dichtbij heel groot bleek te zijn, was net zo oranje als Losbols krulletjes. Hij stak

Jakko zijn palet en een kwast toe. Er zat nog blauwe verf op.

'Is die kleur goed?'

Toen viel Jakko in wat hij moest schrijven. Het was een flinke tocht naar Rhodos, met verraderlijke stromingen. Liever dan een rubberboot met een buitenboordmotortje en opspattend boegwater had de man natuurlijk... een echt schip.

Jakko was al bezig. RADIO WERKT, schreef hij links en rechts bovenaan. Liegen mocht niet op Drakeneiland, maar er was geen wet die zei dat je de waarheid op vliegers moest schilderen.

'Wat is een korter woord voor veerboot?' vroeg hij aan Losbol.

'Ferry,' zei Luilebal. 'Waar haal jij opeens een veerboot vandaan trouwens? Goochelen is Losbols afdeling hoor.'

Jakko werkte door zonder antwoord te geven. Onder schreef hij: FERRY IN HAVEN. Het paste net. Zou de Man erin trappen? Maar voor twijfel was geen tijd.

'Help me de vlieger oplaten,' zei Jakko. Losbol deed het, terwijl hij tweehonderd vragen stelde waarvan Jakko er maar twee of drie kon beantwoorden. De vlieger klom gretig de lucht in, er stond aardig wat wind. Met de vragen van de kunstenaars nog in zijn oren klom Jakko op een fiets en racete weg als een bezetene. De vlieger, hoog boven zijn hoofd, trok aan zijn arm, maar bleef in de lucht.

Hij kwam niet ver. Hij stak de weg naar Akropolis over en wilde het pad nemen dat de Kale Heuvels in leidde naar de noordelijke kust. Maar voor de tweede keer die ochtend botste hij bijna tegen Dana's ezels aan. Ze had de rijst afgeleverd in de Diepte en was nu met fruit op weg naar het centrum.

'Jakko!'

Jakko stopte.

'Dana...'

'Wat moet je met die vlieger?'

'Het is een boodschap voor de Man. Hij...'

'... heeft een boot gestolen!' zei Dana. 'Mo wist er alles van. En jij hebt hem geholpen!'

'Ik?' stamelde Jakko verbaasd.

Er slipte een fiets op de weg. Het was Sjoerd die, aan zijn rode kop te zien, heel hard achter het nieuws aan fietste.

'Wat?' vroeg hij. 'Hoort Jakko bij de botendieven?'

'Nee!' schreeuwde Jakko.

'Ja!' zei Dana. 'Jij wou de Man kwijt, hè! Dus hielp je hem. Maar het is meneer Papadopoulos. Hoor je dat, sokkenbol? Het is écht meneer Papadopoulos. Straks sluit hij Drakeneiland nog. Snap dat dan!'

Sjoerd had zijn blocnootje gepakt. Hij schreef mee terwijl Dana praatte.

'Wat heb jij daarop te zeggen?' vroeg hij aan Jakko.

'Niks. Geen tijd.'

'Weigert commentaar,' mompelde Sjoerd, al schrijvend.

'Maar ik...' Jakko's gedachten waren weer stroperig geworden. Hij wist alleen nog dat hij haast had, heel veel haast. Dan moest het maar zonder Dana's hulp. Hij stapte op de fiets.

'Ja, jij!' raasde Dana. 'Jakko wilde de Man het eiland af hebben,' zei ze tegen Sjoerd. 'Nou, dat is hem gelukt. En nou zitten we er allemaal mee!' Het leek wel alsof ze nu pas goed kwaad werd. En een kwade Dana kon gevaarlijk zijn. 'Je doet al raar sinds je bij die Dragonders ging!'

'Hou je mond,' zei Jakko kwaad. Hij duwde zijn fiets het zijpad op.

'Het is uit met Drakeneiland! We moeten allemaal naar huis!' schreeuwde Dana achter zijn rug.

Maar daar ging het juist om! Dat moest Jakko voorkomen. Opeens deed zijn hoofd het weer. Hij rende een stukje over het zandpad om vaart te maken en sprong op het zadel. Het vliegertouw sneed in zijn hand, en hoe harder hij fietste, hoe meer pijn het deed. Maar dat gaf niet. Hij moest die Man stoppen! Zou de tekst op de vlieger al te lezen zijn vanaf de boot? Hij liet het touw meer vieren en de vlieger klom de lucht in.

Een tijd lang was het zand te mul om te fietsen. Jakko deed een stuk in looppas. Net wilde hij de fiets aan de kant gooien en te voet verder gaan, toen het pad rotsachtig werd. Keihard trappend fietste hij door. De vlieger rukte aan zijn arm. Intussen dacht Jakko nog eens na over zijn plan. De boot naar de Kolk lokken...

Jakko was maar één keer bij de Kolk geweest. Dat was aan het begin van de zomer, vlak na Bombinie. Jonathan had de Drakeneilanders meegenomen voor een gevarentocht. Niet voor het avontuur, maar om ze te waarschuwen. In de Parelbaai mocht gezwommen worden, maar bij de Kolk mocht je absoluut niet het water in.

Jonathan had een touw aan een dode tak gebonden. Vanaf een rots had hij het stuk hout ver de zee in geslingerd. Het was vanzelf naar de Kolk gedreven, waar het rondjes maakte tot het vlakbij het gat in het midden dreef. Toen hadden de kinderen mogen proberen om de tak aan het touw los te trekken. Maar ze slaagden er niet in de tak uit de Kolk te krijgen, zó sterk was de maalstroom daar in het midden.

'Als je per ongeluk tóch ooit in de klauwen van de Kolk raakt,' had Jonathan gezegd, 'duik dan naar de diepte. Het is geen doucheputje. Er zit geen gat in de bodem van de zee. Helemaal beneden kun je eruit zwemmen. Eerst een stukje rechtuit en dan omhoog.'

Een boot was zwaarder dan een stuk hout of een kind. De reddingsboot had een motor en zou zo gauw niet naar het midden worden gezogen, dacht Jakko. De maalstroom zou hem grijpen en vasthouden, dat was alles.

Sam en Erik waren pas na Toedeledokie op het eiland gekomen. Die wisten er vast niet het fijne van. Ja, Jakko's boodschap zou de Man naar de kust lokken. Als hij meneer Papadopoulos was, zou hij begrijpen dat de Drakeneilanders hem wilden helpen. En als hij een gewone drenkeling was, dan zou hij maar al te graag die veerboot nemen. Dan kon hij niet weten dat er helemaal geen veerdienst wás.

Vanuit de Kale Heuvels kwam Jakko op de rotsachtige vlakte die tot aan de kust reikte. Links liep het pad naar beneden, naar de Parelbaai. Rechts was geen pad. Hij moest dwars over de steenwoestenij naar de Kolk fietsen, hotsebotsend over keien en kuilen. Hier bij de zee waaide het harder, en toen hij even omhoog keek, zag hij dat de vlieger rare duikelingen maakte. Maar hij bleef in de lucht. De letters waren te lezen, al leek het nu alsof er stond FERRYM HAVEN. Jakko hoopte dat de bedoeling toch duidelijk was.

Opeens klapte zijn stuur om – hij had niet zo lang omhoog moeten kijken. Jakko sloeg tegen de grond, schaafde een hand en twee knieën. Kreunend raapte hij de fiets op. Gelukkig zat het vliegertouw nog om zijn hand gewikkeld. Maar er zat een enorme slag in het fietswiel. Koppig stapte Jakko toch weer op en hobbelde naar de zee.

Bloed liep uit zijn knieën zijn sokken in. Maar hij kon wel tegen een beetje bloed. Al sinds hij uit de dakgoot was gevallen. In het ziekenhuis hadden ze gezegd dat het een wonder was dat alles het nog deed. Zijn moeder had het raam dichtgekit, maar na het ongeluk had Terry hem gelukkig nooit meer opgesloten. Toen Jakko terugkwam op school hadden ze even een weekje heel aardig tegen hem gedaan. Daarna hadden ze hem natuurlijk weer met de nek aangekeken. Hij werd weer gewoon Jakko de aso. Voor iedereen, behalve Dana.

En nu had Dana hem ook laten vallen.

Een meeuw krijste. Jakko keek omhoog en volgde de vogel met zijn blik. De meeuw zeilde op zijn brede vleugels naar de zee... En daar voer de reddingsboot! Hij kwam juist om de punt van het eiland en zette koers naar het noordwesten. Jakko fietste zo hard hij kon, de vlieger dook en dartelde, danste en duikelde in de lucht. En opeens – waarom wist hij niet – merkte Jakko dat ze hem aan boord hadden opgemerkt. Minderde de boot vaart? Werd er ietsje bijgedraaid, kwamen ze dichter naar de kust? Kwamen ze, al was het maar een beetje, dichterbij?

Jakko liet de fiets voor wat die was en holde naar de hoge kant van de baai. Links van de Kolk was een rotsplateau. Jakko ging erop staan en haalde de vlieger een beetje in. Hij moest zeker weten dat ze het goed konden lezen.

'Radio werkt,' zei hij nadrukkelijk. 'Ferry in de haven.' Natuurlijk konden ze hem niet horen, maar voor zijn gevoel hielp het toch.

En wonder boven wonder leek de boot inderdaad van koers te veranderen. Hij kwam dichterbij, ja hoor, hij kwam echt dichterbij! Jakko sprong en zwaaide en juichte.

Zijn list werkte!

De Kolk

Jakko miste Dana hevig, terwijl hij daar op de rots naar de zee stond te turen met de vlieger rukkend aan zijn arm. Hij leunde tegen de dode boom die wortelde in een rotsspleet. De reddingsboot kwam dichter en dichter bij de kust. Zou hij echt in de Kolk terechtkomen? En dan? Dan moest Jakko op de een of andere manier hulp zien te halen. Het was eigenlijk een heel eind naar de Diepte. En naar het centrum was het nóg verder. Met Dana erbij zou hij wel geweten hebben wat ze moesten doen. Had hij haar maar kunnen uitleggen wat de boodschap op de vlieger betekende... Maar met die Sjoerd erbij was hij helemaal dichtgeklapt.

En het kwam ook door Dana. Hoe kon ze nou denken dat hij de Man had geholpen? Waarom vertrouwde ze hem niet gewoon? Vroeger wíst ze dat Jakko niet loog – niet tegen haar tenminste. *Je doet al raar sinds je bij die Dragonders ging...* Ja, toen was het misgegaan. Daar had ze niks van gesnapt. Dat kón ze ook niet begrijpen. Dana had geen idee hoe fijn het was om voor de verandering zélf een knuppel in je handen te hebben.

Achteraf schaamde Jakko zich wel. Maar ook dat begreep Dana niet. Dana had zelf nooit ergens spijt van. Zelfs niet toen de fietsenstalling was afgebrand en de gymzaal onder water stond.

'Nou hebben we lekker een binnenbad,' had ze gegniffeld. 'Kunnen we zwemmen met gym.' Gekke Dana.

Nou ja, ze was er nu niet en hij zou het in zijn eentje moeten opknappen, wat er ook gebeurde.

De boot was nu zo dichtbij dat hij de opvarenden kon herkennen. De Man hield nog steeds het roer vast. Erik stond voor in de boot, met zijn hand boven zijn ogen. Sam hing tegen de zijkant met een hand in het water. De Man zei iets en Erik keek om. De Man wees naar de kust en nu stonden ze met z'n tweeën naar Jakko te staren. Jakko wees omhoog, naar de vlieger. Erik maakte een wegwerpgebaar. *Ga toch weg met je ferry, er komt hier helemaal geen veerboot,* leek hij te bedoelen. Hij en zijn broer begonnen tegen de Man aan te praten, schijnbaar tegelijk. (Maar het zou wel weer in halve zinnen zijn.) De Man keek naar de vlieger. Sam probeerde het roer van hem af te pakken. De Man duwde hem weg en Sam viel bijna in het water.

Jakko schrok. De reddingsboot tufte recht op de Kolk aan, en was er al vlakbij. Het was mooi dat de Man en de tweeling niet naar het water keken, anders zouden ze de maalstroom in de gaten krijgen. Maar stel dat er een in het water viel! Erik en Sam waren er niet bij geweest toen Jonathan uitlegde wat je moest doen als je in een kolk terechtkwam.

Maar Sam viel niet overboord. Hij bleef op het nippertje overeind. De Man schold hem uit. Verstaan kon Jakko het nog niet, maar horen wel. Nu brulde de Man iets naar hem. Jakko zette zijn hand aan zijn oren en spreidde toen zijn armen met de handpalmen naar buiten. *Ik versta het niet.* Daarna begon hij het vliegertouw op te rollen. De vlieger had zijn taak vervuld.

De reddingsboot koerste nog steeds op de kust aan, en dus op de Kolk. Omdat Jakko hoog stond en de Man zijn aandacht op hem richtte, keek hij nog steeds niet naar het water. Maar elk moment zouden ze nu aan boord het geruis van de maalstroom kunnen horen. En om te bepalen waar hij kon aanleggen, moest de Man zéker voor zich kijken. Jakko moest hem afleiden. En wel meteen.

Wat kon hij doen om te zorgen dat ze niet naar de golven zouden kijken?

De dode boom? Die kon hij in de fik steken. Dat zou een prachtige fakkel zijn. Hij voelde in zijn zak. Verdrie, Dana had zijn aansteker nog.

Dan moest hij maar roepen...

Jakko gaf een brul.

'Kijk uit, achter je! Haaien!'

'Wat?' riep de Man.

Dat schoot ook niet op. Nee, hij moest met zwaarder geschut komen.

Geschut! Jakko haalde de katapult uit zijn achterzak. Dat was het! Even keek hij naar de lucht – zou hij een van die meeuwen neerhalen? Nee, dat was zielig, die meeuwen konden er ook niets aan doen dat er botendieven op hun eiland waren. Dan moesten de botendieven zelf er maar aan geloven. Jakko raapte een brokje gelige aarde op. Het leek zo hard als steen maar het zou zó uit elkaar vallen. Hij mikte iets boven het hoofd van de Man en schoot. Zengg! zei het rubber. Het kluitje vloog recht op de boot af. Maar goed dat Jakko zo veel geoefend had. Vlak langs Sam, over het hoofd van de Man scheerde het, voor het in zee viel. Jakko legde opnieuw aan, weer met een kluitje. Nu mikte hij op de borst van de Man. Net voor hij geraakt zou worden, gooide de Man zich voorover op de bodem van de boot.

'Ben je gek geworden?!' verstond Jakko.

Nu mikte Jakko op de zijkant van de boot, met een scherp steentje. Ook als hij één kant lek zou schieten, zou de boot blijven drijven... Hij wilde ze alleen bang maken. Zengg! Raak. Sam, die tegen de zijkant leunde, schoot rechtop, maar zo te zien was er geen lek. Jakko legde weer

aan en nu zochten Sam en Erik ook dekking. En intussen ging de boot recht op de maalstroom af! Maar dat konden de opvarenden nu niet zien.

Jakko bleef schieten, zodat ze op de bodem van de boot moesten blijven liggen. Hij grinnikte. Als Dragonder had hij zijn katapult alleen gebruikt om mee te oefenen. Daarna had hij net vóór de geiten leren schieten, maar daar was niets aan. Dit was pas leuk, en nog voor een goed doel ook!

'Hou op, eikel!' riep een van de tweeling.

'Halve zool!'

Je kon merken dat ze niets meer met Drakeneiland te maken wilden hebben. Ze scholden erop los.

Toen pakte de stroom de boot. Ineens ging hij niet meer recht vooruit, maar in het rond. Het was een grote cirkel en het ging niet zo hard. Maar de Kolk liet de boot niet meer los. Het roer zwabberde nu niemand het vasthield.

Jakko hield op met schieten. De drie in de boot kwamen overeind en begonnen te schreeuwen. Een paar meeuwen krijsten mee. Jakko zwaaide vrolijk.

'Gaat-ie lekker?' riep hij. 'Blijf maar fijn dobberen, ik haal de Koddebeier!' Jeroen zou wel een paar potige jongens optrommelen – voormalige Dragonders misschien. Met een paar stevige touwen zouden ze de reddingsboot aan land trekken. En dan konden ze de dieven arresteren. Daarmee zouden de Drakeneilanders bewijzen dat ze hun eigen boontjes konden doppen. En als de Man écht meneer Papadopoulos was, zou Jakko alle eer krijgen. Dan werd hij benoemd tot Drakendoder en mocht hij de hele zomer blijven. Had zijn moeder mooi de tijd om Terror Terry het huis uit te zetten.

Jakko raapte de vlieger op en begon naar zijn fiets terug te lopen. Een van de tweeling gilde. Jakko keek om. Meteen rende hij terug naar de rand van de rots. Waren ze nou helemaal van de pot gerukt! Sam en Erik probeerden de Man in het water te gooien!

Of misschien was het de Man geweest die als eerste aanviel. In ieder geval was er een gevecht gaande om het roer. Niet zo handig!

De Man was nu aan de winnende hand. Hij smeet de tweeling van zich af. De boot had meer vaart en bijna viel Sam in het water. Erik greep hem bij zijn shirt en trok hem terug aan boord. Toen gingen ze met z'n tweeën op de Man af, die wanhopig aan het roer zat te rukken.

Jakko grinnikte. Zo zouden ze elkaar nog wel een tijdje bezighouden. Hij ging ervandoor.

Maar terwijl hij moeizaam in de richting van de heuvels fietste, maalden zijn hersens door. De boot had meer vaart gekregen... omdat het rondje kleiner was geworden... omdat hij dichter bij het midden van de Kolk was gekomen... De stroming was dus sterker dan de motor. De boot bleef helemaal niet aan de rand van de maalstroom hangen. Hij werd meegezogen naar het midden! Hij zou opgeslorpt worden en naar de diepte gesleurd, met Sam en Erik en de Man aan boord... Er waren drie levens in gevaar!

Hij keerde om. Drie levens lagen in zijn handen. Hij was ontzettend stom geweest. Onvergeeflijk stom.

'Dana,' kreunde hij hardop.

Gevecht tegen de zee

Sam had nu ook door hoe groot het gevaar was, zag Jakko. Hij schreeuwde en schudde aan Eriks arm. De boot was alweer een stuk dichter bij het midden van de Kolk gekomen. Elk rondje was een stukje kleiner dan het vorige.

'We gaan eraan!' schreeuwde Sam. Voor de verandering antwoordde hij zelf: 'Zwemmen broer!'

Hij sprong overboord. Jakko, die weer op het rotsplateau stond, kneep zijn ogen dicht. Wat een ongelooflijke dropzak was die jongen! Wie sprong er nou midden in een draaikolk overboord!

Maar hij deed zijn ogen gauw weer open, want hij wilde tóch zien hoe dat afliep. Erik had een van de reddingsbanden gepakt en smeet die naar Sam toe. Maar door de rare beweging van de boot zwaaide de band uit de richting en Sam kon er niet bij, zelfs al had hij gewild. Ondertussen was hij al wat dichter naar het middelpunt gezogen.

Toen sprong Erik ook in zee.

'Sokkenbol! Druipsnor!' gilde Jakko machteloos. Nu lagen er twee jongens in zee, die probeerden te zwemmen maar geen enkele kans maakten tegen het geweld van de maalstroom.

Jakko werd duizelig doordat hij boot én drenkelingen met zijn ogen probeerde te volgen. Ze dreven een eindje uit elkaar. Wie was het dichtst bij het zuigende gat middenin? De boot? Sam? Of toch Erik? De jongens maaiden wild met hun armen en probeerden naar de buitenkant te zwemmen. Het leek niet veel te helpen. Of toch... Misschien werden ze een heel klein beetje minder snel naar het midden gesleurd, dat was alles.

Hij moest wat doen. En snel. Maar wat?

'Denk!' zei hij tegen zichzelf. 'Toe dan, denk dan!' Maar dat hielp niet.

Sam leek in paniek, maar Erik kon kennelijk nog wél denken. Hij hield op met zwemmen en liet zich drijven tot hij tegen Sam aan botste. Ze grepen elkaar vast. Sam hield ook op met zwemmen. En toen bleek dat de boot dichterbij het midden dreef dan de jongens. De boot, die een kleiner rondje maakte, haalde hen in. En de reddingsband zwierde er aan een touw achteraan...

Erik greep mis. Sam kreeg het touw te pakken. Het gleed door zijn handen. Erik pakte de band en deed hem over zijn hoofd. Hand over hand langs het touw werkten ze zich naar de boot toe. Het kostte ze zichtbaar moeite, maar het waren gespierde jongens. Ademloos keek Jakko toe hoe ze aan boord klauterden. De Man liet het roer los om hen te helpen.

En toen... De boot hing schuin terwijl de tweeling aan de rand hing. De Man gleed uit, verloor zijn evenwicht, wankelde, maaide met zijn armen... en viel in het water! Hij liet zich meesleuren zonder zich te verzetten. Zelfs vanaf zijn rotspunt dacht Jakko te zien dat hij verlamd was van angst.

'De reddingsband!' gilde hij. 'Gooi dan!'

Stel je voor dat de Man verdronk. Stel dat hij toch meneer Papadopoulos was!

De tweeling hoorde hem niet. De jongens waren paniekerig in de weer met het roer en de motor, die kennelijk was afgeslagen. Sam stond aan het touwtje te rukken alsof het eraf moest. En Erik vocht met het roer alsof het een levend wezen was. Vroegen ze zich niet af waar de Man was gebleven? Ja, Sam kwam overeind en speurde de zee af met een hand boven zijn ogen. Erik keek ook rond. Maar ze schenen de Man niet te zien. Jakko, die hoger stond, zag zijn hoofd wel telkens opduiken tussen de golven. De Man dreef dichter en dichter naar het midden.

'Erik! Sam! Red hem!'

Jakko schreeuwde zich schor. Ze verstonden hem niet, hoorden hem misschien niet eens door het gorgelen van de Kolk. Wat kon Jakko doen om de tweeling te waarschuwen?

Allerlei gedachten schoten door zijn hoofd. Gedachten aan vuurpijlen... Die waren vlakbij: aan boord van de reddingsboot.

De dode boom in de fik steken. Een signaalvuur... Ja hoor. De aansteker zat nog steeds in Dana's broekzak.

Een toeter... Thuis, op zijn zolderkamertje had hij een voetbaltoeter.

Had hij allemaal niks aan.

Maar wacht eens: hij had een fiets! Met een bel! Hij sleepte de fiets naar de rand van het plateau en begon als een razende te bellen. Gelukkig hield Ruben de fietsen prima in orde.

Het bellen trok de aandacht van de jongens op de boot. Ze keken tegelijk op. Jakko sprong op en neer en wees in het water.

'Daar! Links van je!'

Eindelijk zagen Erik en Sam hem. Ze schenen niet te weten wat ze moesten doen. De Man dreef nu angstig snel in het rond, in steeds kleinere rondjes.

'De reddingsband!' schreeuwde Jakko.

En toen ging opeens het deurtje in zijn hoofd weer open. Een kant-en-klaar plan plofte naar binnen, als de krant op zaterdag. Dode boom. Katapult. Vliegertouw. Het was er allemaal al die tijd al geweest!

De tweeling had de band naar de Man toe gegooid. Die

greep mis en kreeg hem niet te pakken. Sam haalde de band in, gooide uit. Weer mis. De Man scheen moe te worden, hoewel hij niet meer deed dan zich drijvend houden. Het was ook zo'n vadsige papzak! Af en toe verdween zijn hoofd onder water.

Erik haalde in en gooide weer uit. Deze keer landde de band dichter bij de Man op de golven. Hij strekte zijn arm, spartelde... en kreeg de band te pakken. Maar hij deed niet wat de tweeling eerder had gedaan: zich langs het touw naar de boot toe hijsen. Nee, met twee armen op de band drukte hij zich op, hij draaide zich om, en zakte met zijn dikke billen in de band. Zo hing hij in de band achter de boot alsof hij daar voor zijn lol even uitrustte, en niet regelrecht op weg was naar een ramp.

Jakko wist niet hoe lang hij daar al stond te kijken. Een minuut? Tien minuten? Een uur? Het leek heel lang. Veel te lang. Even hoopte hij dat het maar snel voorbij zou zijn. Dat ze allemaal werden opgeslokt door de Kolk en nooit meer boven zouden komen. Niemand hoefde ooit te weten wat er gebeurd was. Niemand hoefde er ooit achter te komen dat het allemaal Jakko's schuld was.

Niemand? En Losbol en Luilebal dan? Die wisten van de vlieger, en wat hij erop had geschreven, en min of meer waarom. Het waren loslippige, onbetrouwbare types. Van die jongens die zichzelf heel leuk en lollig vonden, maar waar je nooit op kon rekenen. Ze zouden hem verraden.

En Jakko zou nooit kunnen uitleggen dat het per ongeluk was gebeurd. Dat hij alleen maar de boot had willen redden, en Drakeneiland. Dat hij erop had gerekend dat iedereen het zou overleven.

Nijdig veegde hij de tranen uit zijn ogen. Er was nog een kans! Hij moest als de bliksem aan het werk. Dat met die vlieger had ook gewerkt. Dit plan móest ook lukken.

Zo snel dat hij er duizelig van werd rolde hij het vlieger-touw af. Hij brak een tak af van de dode boom. Hij wikkel-de het eind van het touw eromheen en maakte een knoop-je. Toen rolde hij nog meer touw af. Het was dun maar sterk. Vliegertouw was net zo sterk als staalkabel.

Terwijl hij bezig was, vermeed hij naar de zee te kijken. Hij had lang genoeg naar dat geworstel gestaard. Nu moest hij wat dóen!

Het andere eind van het touw, met de klos, bond hij om de stam van de dode boom. Hij trok er met zijn volle gewicht aan. Muurvast zat het. Snel legde hij het stukje hout in zijn katapult. Mikte, en schoot.

Het hout vloog door de lucht, maar het was niet zwaar genoeg. Het landde nog voor de Kolk in zee. Razendsnel trok Jakko het houtje terug. Hij moest iets zwaarders heb-ben, maar wat? Iets wat zwaar genoeg was om door de lucht te vliegen, maar ook zou blijven drijven... Een schoen! Met de lucht in de zool zou hij blijven drijven als een bootje.

Jakko stond al op één sok. Hij haalde het vliegertouw door twee vetergaten en legde de schoen in de rubberen band van zijn katapult. Zou hij ermee kunnen mikken?

Nee dus. De schoen zeilde dwaas door de lucht en viel met een plof op de rotsen beneden.

Maar dat had een voordeel. Sam en Erik kregen door wat hij aan het doen was. Ze grepen elkaar vast en wezen.

'Komt-ie!' gilde Jakko. Hij schoot opnieuw, en deze keer maakte de schoen buitelend een prachtige boog door de lucht. Hij landde net voor de reddingsboot. Erik deed er een greep naar. Even later hield hij de druipende schoen boven zijn hoofd.

'Spring!' riep Jakko. Het werkte!

Erik aarzelde niet en sprong in de maalstroom. Hij was

niet gauw bang, dat moest je hem nageven. Jakko had intussen zijn sok om zijn hand gebonden en trok als een bezetene. Sam keek angstig toe. De Man werd hulpeloos achter de boot aan gesleurd. Maar Erik werkte mee. Hij rolde het touw op, wikkelde het om de schoen! Wat goed bedacht! Zo kwam hij steeds dichter bij de kust en verder van de maalstroom.

Opeens viel Jakko achterover. Wat was dat, was het touw geknapt? Was hij Erik kwijt? Hij sprong op en keek in zee. Hij zag Erik rustig naar de kust zwemmen. Hij was uit de Kolk! De schoen had hij losgelaten. Hij gebaarde naar Jakko en Jakko snapte het. Hij moest gauw de schoen weer binnenhalen en opnieuw schieten, Sam redden.

Nu hij wist dat het werkte, werd hij gek genoeg zenuwachtig. Zijn handen deden opeens niet meer wat hij wilde. Hoe sneller hij het touw probeerde binnen te halen, hoe slechter het ging. En het mocht niet in de knoop komen!

Eindelijk hobbelde de schoen langs de rotsen omhoog. Jakko controleerde de knopen en legde hem weer in de katapult. Zengg! Weg vloog de schoen weer, over Eriks hoofd heen naar de Kolk. En landde... op de boot. Sam pakte hem meteen beet.

'Springen!' schreeuwde Erik. Zo snel hij kon klauterde hij naar boven. Even later stond hij druipend naast Jakko, die zelf ook droop, van het zweet.

Sam keek nog even om, naar het oog van de Kolk dat nu griezelig dichtbij was. En toen sprong hij. Samen trokken Erik en Jakko hem aan land. Een paar minuten later stond ook Sam boven, trillend en bibberend. Hij gaf over in de rotsspleet. Dat gaf niet. Ze waren gered!

'En de Man?' vroeg Sam, die met tranen in zijn ogen zijn mond afveegde.

'Redden, toch?' zei Jakko. Hij zat aan het touw te prutsen; het was in de knoop geraakt toen Sam naar boven klom. Hij merkte dat de tweeling elkaar aankeek.

'Nou... Hij wás al een drenkeling,' zei Erik.

'Niemand, behalve wij op Drakeneiland, weet toch dat hij hier aan land is gekropen,' zei Sam.

'Hij moet zichzelf maar redden.'

'En wij houden onze kop dicht.'

Nu keken ze allebei naar Jakko. Dreigend, leek het. Jakko schudde zijn hoofd. Nu had ook hij tranen in zijn ogen. De man leek op zijn stiefvader en hij had een hekel aan hem. Hij geloofde eigenlijk niet dat het meneer Papadopoulos was. Maar ze konden hem toch niet zomaar aan zijn lot overlaten?

Zijn vingers plukten aan het touw. Het ging echt niet meer uit de knoop. Ten einde raad trok hij de knoop juist vast aan, zodat het touw tenminste niet al te veel lengte verloor. Hij moest...

Toen pas zag hij het probleem. Als hij de Man redde op dezelfde manier als de tweeling, was dat mooi en prachtig. Maar de reddingsboot dan? Een gestolen boot kon je nog terugkrijgen. Een vernielde boot nooit! Wat moest er van Drakeneiland worden als ze geen reddings- boot meer hadden?

Hij keek aarzelend naar Sam en Erik. Zij gaven niet om Drakeneiland. Zouden zij de boot wel willen redden?

'De boot,' hakkelde hij. 'En de Man. Gauw.'

De tweeling wisselde weer een blik. Een blik die Jakko niet héél precies kon duiden. Maar hij had het gevoel dat ze bedoelden: *maak je toch niet druk, man.*

Jakko had zich nog nooit zo eenzaam gevoeld. Woorden verdrongen zich bij zijn lippen, maar ze kwamen niet naar buiten. Was Dana er maar om ze de huid vol te schelden...

Op het water tolde de boot met de man eraan reddeloos af op het kolkende gat.

Ezelkracht

Jakko deed het enige wat hij kon doen: hij schoot de
schoen naar de boot toe. Als de Man hem te pakken kreeg,
moest hij het vliegertouw aan de boot vast zien te maken.
En dan maar hopen dat het niet zou knappen...

De eerste keer zeilde de schoen de verkeerde kant uit en
de tweede keer kwam hij veel te dichtbij neer. Jakko verloor kostbare tijd met het touw binnenhalen. Sam en Erik
stonden van een afstandje toe te kijken en staken geen
hand uit. Maar ze zouden zo meteen wel mee moeten helpen met trekken...

Eindelijk landde de schoen vlakbij de reddingsband.

'Pak hem dan!' zei Jakko dringend. En toen de Man niks
deed, schreeuwde hij: 'Pak die schoen! Bind hem vast!'

Achter op het schip zat een hoge beugel. Daar kon de
lijn het beste worden vastgemaakt. En natuurlijk was er
ook touw aan boord, stevige nylonkabels. De Man hoefde
alleen maar zichzelf aan boord te hijsen...

'Pak die schoen en klim aan boord!' riep Jakko boos.
'Toe dan!'

Maar de Man was een man, geen kind. Hij luisterde niet.
Hij viste de schoen wel uit het water, maar hij bleef ermee
in de boei zitten. Besluiteloos keek hij van de boot naar de
jongens op de rots, en weer terug... Het kon toch niet dat
hij meer op de boot vertrouwde dan op hen?! Jakko had
net de tweeling gered!

'Doe dan!' schreeuwde hij.

Jakko keek naar de Man, de boot, de Kolk en toen naar
zijn ene blote voet. Zo meteen was het voorbij. Dan zou

het zijn of de Man nooit had bestaan. De reddingsboot zou verloren gaan. Drakeneiland zou worden opgedoekt. Jakko zou weer Jakko de aso worden. En niemand zou weten wat hij op zijn geweten had. Behalve de tweeling, maar die was zelf schuldig.

Hij hoefde alleen maar te wachten.

Niets doen was geen misdaad.

Nog even...

Jakko begon het touw in te halen. Tenminste, dat probeerde hij. De kracht aan de andere kant – het gewicht van de Man en de boot, en dan de ziedende Kolk nog – was veel en veel te groot.

'Help eens!' hijgde hij.

Erik deed een stap naar voren. Sam hield hem tegen. Erik bleef staan. Om gek van te worden!

'Maar de reddingsboot dan!' riep Jakko ten einde raad. 'Als we die kwijtraken, moeten we allemaal naar huis!'

Sam en Erik keken elkaar weer aan. Deden tegelijk een stap naar achteren. Zij vonden het niet erg om naar huis te moeten.

Jakko gaf een vertwijfelde ruk aan het touw, en kreeg meteen spijt. Want hij had de Man de schoen uit zijn handen gerukt. Die dobberde nu ook rond op de Kolk.

Zonder na te denken sprong Jakko in zee, zó van de hoge rots, met kleren en al. Tijd was er niet. Toch leek het minuten te duren voor hij met een klap het water raakte. Hij schoot zó diep het water in dat hij er heel lang over deed om weer boven te komen. Toen hij eindelijk bovenkwam, haalde hij een paar keer heel diep adem.

Hij zwom recht naar de Kolk. Onderweg viste hij het vliegertouw uit het water. Het duurde niet lang voordat het kolkende water hem meesleurde. Opeens ging hij niet meer de kant op die hij wilde... Het voelde ontzettend eng. Hij was stom geweest! Nu hij de kracht van de Kolk voelde, kreeg hij spijt. Wat als de tweeling hem niet zou helpen? Jakko had hen gered, ze waren het hem schuldig. Maar Sam en Erik deden nooit wat je verwachtte… Jakko kon alleen maar hopen.

En zwemmen, uit alle macht. Hij mikte recht op het midden; daardoor ging hij er schuin op af. Hij kreeg de schoen te pakken en haalde de boot in. Met moeite hees hij zich op en spartelde over de rand. Hij ging staan. Het oog van de Kolk was op nog geen vijf meter afstand, de boot

draaide als razend in het rond. Hij werd duizelig als hij naar het water keek.

Jakko hees de schoen aan boord, sloeg het vliegertouw een paar keer om de beugel en zocht in de kastjes naar touw. Ja! Dik oranje nylontouw, een hele tros. Het ene eind bond hij aan de beugel. Toen maakte hij zijn schoen weer los en bond het andere eind van het nylontouw eraan vast. Hij zwaaide naar de tweeling.

'Inhalen!' gilde hij. Hij hoopte maar dat ze hem zouden horen. Het gorgelen van de Kolk was nu zo luid, dat zijn maag samenkneep van angst.

Toen kwam er beweging in het touw. De tweeling werkte mee! Daar ging de schoen, daar ging het vliegertouw… tenslotte verdween de oranje kabel in de golven. Even later bungelde het nylontouw tegen de rotswand. En nog even later hadden Erik en Sam het in handen.

Nu pas scheen de Man vertrouwen in de onderneming te krijgen. Hij schreeuwde luid: Jakko moest de reddingsband inhalen. Het was loodzwaar werk, en hij kreeg het bijna niet voor elkaar. De Man peddelde als een gek met zijn handen, maar het leek niet veel te helpen. Jakko trok zijn schouders uit zijn lijf. Eindelijk was de Man bij de boot. Hij ging aan de rand hangen en probeerde zijn papbuik eroverheen te hijsen. Verder ging niet. De oranje band zat klem om zijn billen.

'Schiet op,' zei hij. 'Sta daar niet zo!'

Jakko gromde. Het oog was nu geen meter meer weg, ze moesten… De boot begon te hellen, neus naar beneden, het gat in…

'Doe iets!' gilde Jakko. Hij zette zich schrap, zijn handen aan de rand. Als Erik en Sam hem niet hielpen, was het afgelopen. In paniek keek hij om. Lieten ze hem aan zijn lot over? Waarom trokken ze nou niet!

Maar ze trokken wél. Met hun hele gewicht hingen Erik en Sam aan het touw. Het hielp alleen niet. De stroom was te sterk.

En daar gíng de boot!

Het leek alsof Jakko, in dat vreselijke moment dat de stroom in zijn oren brulde, Dana hoorde schreeuwen: 'Spring!'

Hij sprong, weg van de boot. Meteen werd hij naar de diepte gezogen. Hij liet zich gaan. Hij kon alleen maar hopen dat hij de boot niet op zijn kop zou krijgen… Zijn longen barstten zowat en hij zag niks, zo kolkte en wervelde het water. En Jakko tolde mee. Hij kneep zijn ogen dicht, liet een beetje lucht ontsnappen, en liet zich zinken…

Opeens voelde hij grond. En hij tolde niet meer als een razende in het rond. Hij was op de bodem! Héél diep moest het hier zijn. Een draaikolk ontstond niet in ondiepe zee. Had hij nog adem? Een beetje, er ontsnapten wat belletjes. Nou níet inademen. Weg moest hij, zwemmen! Een donkere schaduw zeilde op hem af – de reddingsboot. Wegwezen!

Jakko gooide zich opzij, zwom als een bezetene weg van de kolk. Hij moest het laatste restje adem laten gaan. Zijn longen schreeuwden om lucht en zijn instinct zei: omhoog! Maar hij moest eerst verder weg zwemmen, wég! Zijn borstkas wilde zich uitzetten, inademen. Maar er was alleen maar water om hem heen… Het kón niet, ook al was hij duizelig en draaierig en…

Toen luisterde zijn lichaam niet meer naar zijn verstand. Als een pijl schoot hij naar boven, trappelend met zijn voeten. Het licht kwam dichterbij… maar het duurde zo lang… Hij moest ademhalen, hij móest! Zijn mond ging open, zeewater golfde naar binnen, hij haalde adem! Lucht! Echte, heerlijke, frisse lucht, vol zuurstof! En nog eens, en nog eens. En nog eens, maar een golf sloeg over zijn gezicht en hij moest hoesten. Hij hoestte zich blind, maar hij had tenminste lucht om dat te doen. Hij leefde nog!

Toen pas merkte hij dat hij nog steeds flauwtjes in het rond dreef. Hij spande zich nog één keer tot het uiterste in en zwom uit alle macht weg van de Kolk. Het lukte. Hij dreef nu een flink eind van de kust, Erik en Sam waren maar zwarte silhouetjes en de Kolk was tussen hem en de rots, maar hij leefde! De boot moest verloren zijn gegaan. En de Man? Hij haalde nog een paar keer adem en keek rond. Net op tijd. Met een vaart en een kolom van opspattend water dook er iets uit het water op, aan de rand van de maalstroom. De Man. Hij lag achterover in de reddingsband, een hand om een rafelig stuk touw geklemd, zijn hoofd in het water, bewusteloos. Snel zwom Jakko naar hem toe. Hij was bang. Hij had nog nooit een dode gezien...

Maar opeens begon de Man te hoesten. Hij spuugde een straal water in Jakko's gezicht. Jakko was allang blij dat hij nog leefde. Hij sjorde de Man wat meer rechtop, maar die was nog steeds buiten westen. Ten slotte sloeg Jakko hem in het gezicht. Daar kwam hij van bij. Hij keek Jakko woedend aan. Jakko keek even woedend terug. Door hem was Drakeneiland zijn reddingsboot kwijt!

Toen spuugde de Kolk ook de reddingsboot uit. Hij dook plotseling op, met nog meer geraas dan de Man, een eind verderop in zee. Op zijn kop bleef hij drijven. En de maalstroom kreeg er alweer vat op, want hij begon langzaam een cirkel te beschrijven.

Hulpeloos keek Jakko toe. Wat nu? Langs de kust naar

de Parelbaai proberen te zwemmen? Maar hij had de kracht niet meer, en die Man was te vadsig om zichzelf te redden. Misschien kon hij niet eens zwemmen.

'Meekomen,' zei Jakko tegen de Man. Deze keer werkte die wel mee. Jakko bevrijdde hem uit de reddingsband. Even later waren ze boven op de reddingsboot geklommen – een vlot was het nu. Jakko schreeuwde en zwaaide naar het rotsplateau, waar Erik en Sam alles bekeken.

'Trekken!' gilde Jakko. 'Doe dan wat!'

De tweeling deed het, ze hingen met z'n tweeën aan het touw dat nog steeds aan de boot vastzat, maar het zag er niet uit alsof ze er echt in geloofden. En inderdaad kreeg de stroom de boot opnieuw te pakken. Erik en Sam waren bij lange na niet sterk genoeg. Het kon nog even duren, maar Jakko en de Man zouden opnieuw door de Kolk worden opgeslokt… En deze keer was Jakko uitgeput.

Toen kwam er opeens een ezelskop om de hoek van een rots kijken. En nog een ezelskop. Daar was Dana!

'Dana!' Jakko zwaaide weer. 'Help! HELP!'

Dana had geen last van dichte deuren in haar hoofd. Ze begon meteen te prutsen met het nylontouw, draaide de ezels om en bond het touw aan hun buikriemen. Op het moment dat de tollende boot het dichtst bij het land was, hoorde Jakko Dana tegen de ezels schreeuwen. Een ruk… Er kwam beweging in de boot! Hij draaide om, met de achterkant naar het land, en verwijderde zich meter voor meter van het middelpunt van de Kolk. Dana's ezels waren sterker dan de stroom. Het ging langzaam, de ezels moesten zich schrap zetten, stof wolkte op onder hun hoeven, Dana hing met haar hele gewicht aan hun halsters… maar het ging!

De Man hees zich half overeind.

'Nou, eindelijk!' zei hij. Hij greep in zijn achterzak en

haalde er zijn zakflesje uit. Hij wilde een slok nemen, maar er zat kennelijk niets meer in. Woedend schudde hij de laatste druppels in zijn keel en gooide het flesje in zee.

Net goed, dacht Jakko. Echt iets voor een groot mens, om niet eens te bedanken!

Vijf minuten later kon Jakko de boot aan een rotspunt vastleggen. Jonathan en zijn helpers moesten hem later maar voorbij de Kolk naar de haven zien te krijgen. Hij kón niet meer.

De Man was al aan land gesprongen. Vóór Jakko met aanleggen klaar was, klauterde hij langs de rotsen omhoog naar het plateau. Toen Jakko zelf ook boven was, druipend en rillerig, ondanks de warmte, was alleen Dana er nog. En haar ezels natuurlijk. Zijn schoen maakte een natte plek op de steen.

'Waar zijn Sam en Erik gebleven?'

'Jij ook bedankt,' zei Dana.

'Sorry. Zonder jou was de boot verloren. En ik erbij misschien.'

'Zeg dan dankjewel.'

'Dankjewel.'

'Je moet het menen!'

'Ik meen het toch ook, man. Waar zijn Sam en Erik heen?'

'Boeit toch niet. De Man vroeg de weg naar de bewoonde wereld. Hij was meteen weg.'

'Ik ben nog nooit zo blij geweest een ezelkont te zien!' zuchtte Jakko. 'We gingen weer recht op dat gat af.'

'Twee ezelkonten,' zei Dana. 'Ezelkracht, daar kan geen paardenkracht tegenop. Ik vind dat mijn ezeltjes zo'n speldje hebben verdiend, vind je niet? Echte Drakendoders – ze hebben de reddingsboot gered!'

'Ze hebben mij ook gered,' zei Jakko. 'Telt dat soms niet?'

Dana schudde van nee. Jakko boog zijn hoofd. Ze vond hem dus nog steeds niks waard...

'Jij zou jezelf toch wel gered hebben, Jak.'

Jakko keek op. Het was misschien niet waar, maar zij meende het. Hij grijnsde en gaf haar een klap op haar schouder. Toen moest hij zich omdraaien, want zijn ogen schoten vol, en zijn neus en zijn keel ook. Hij was uitgeput... Allebei zijn armen deden pijn en hij merkte dat zijn voet bloedde, de blote. Hij moest zich aan de rotsen gestoten hebben. Hij ging zitten en trok zijn doorweekte schoen weer aan. Het ging moeilijk, maar dat was juist goed. Zo hoefde hij niet naar Dana te kijken.

'Ik...' Hij had behoefte aan bijval. 'Ik had ze ook kunnen laten verzuipen. Sam en Erik en de Man.'

'Jij?'

Jakko wachtte af of ze nog meer ging zeggen. Maar er kwam niets meer. Hij trok aan zijn veters.

'Ik heb ze niet geholpen met het stelen van de boot.'

'Nee, natuurlijk niet,' zei Dana. 'Dat dacht ik per onge-

luk even. Ik was bang dat het net zo ging als toen met die Dragonders... Maar ik snapte algauw dat ik het mis had, hoor. Ik ben meteen achter je aan gekomen, alleen volgde ik het pad naar de Parelbaai. Ik had niet verwacht dat je naar de Kolk zou gaan.'

'Ik wilde ze in de val lokken,' zei Jakko. 'Het lukte een beetje te goed.'

'Jij liever dan ik,' zei Dana. 'Doodeng, die Kolk, man! Ik kreeg de bibbers toen ik je in dat gat zag verdwijnen.'

'Ik ook,' zei Jakko. Hij bibberde eigenlijk nog steeds.

'Sorry dat het zo lang duurde voor ik de ezels had gehaald. Maar deze ezelskop heeft hoogtevrees.' Ze streelde een van haar dieren over de neus. Zijn neusgat trilde toen hij zijn adem over haar hand blies. Opeens verlangde Jakko naar zijn geiten. Die kon je beter vertrouwen dan mensen. Nou ja, behalve Dana dan.

'Kom op,' zei Dana. 'Naar huis. Krijg je hete citroenlimonade op bed. Spieën genoeg, het is toch betaaldag.'

Ze nam de ezels mee zonder om te kijken. Goeie Dana. Ze wist dat hij huilde, maar ze hoefde het niet zo nodig te zien.

Verdachte

Om de Man niet tegen te komen, liepen ze eerst naar de Parelbaai. Vandaar gingen ze door de Kale Heuvels naar de Holte, en verder naar huis. Toen ze aankwamen, waren Jakko's kleren opgedroogd. Het rillen was ook opgehouden. Hij had geen zin meer om naar bed te gaan. Het was betaaldag, hij ging zijn spieën halen op het plein. Misschien had Moon al gehoord hoe hij de reddingsboot en drie mensenlevens had gered...

Hij pakte twee stukken brood, zijn zakmes en een stuk kaas. Buiten zat Dana al te wachten. Jakko liet de geiten los en ze gingen op de veranda zitten eten.

'Denk je dat ze me Drakendoder maken?' vroeg Jakko. Hij dacht aan Moon. Ze zou vast graag vrienden zijn met een Drakendoder.

'Jou?' vroeg Dana. 'Ik dacht dat ík de reddingsboot gered had? Ik en mijn ezeltjes. Zij verdienen de eer.'

Jakko liet zijn schouders zakken.

'Ja, dat is zo...'

'Ik plaag je maar. Natuurlijk maken ze je Drakendoder. Jij hebt drie mensen gered, met gevaar voor eigen leven! Hoeveel kinderen zouden van die rots hebben durven springen? Ik niet hoor!'

'Heb jij dat gezien dan?' vroeg Jakko verbaasd.

'Jij keek alleen maar naar de zee. Je zag me niet. Ik dacht dat mijn hart stilstond... Je had wel te pletter kunnen vallen. Man, ze móeten je wel Drakendoder maken!'

'En jou ook!' zei Jakko gul. 'En de ezels.' Hij sprong op en voerde de rest van zijn brood aan de geiten. Ze hadden te lang opgesloten gezeten en maakten rare sprongen, met vier poten tegelijk en alle kanten op. Hij zou ze meenemen naar het plein. Misschien had Renée nog wat restjes voor ze – de geiten waren dol op pizza. En met de geiten om zich heen voelde hij zich meteen minder verlegen. Sam en Erik hadden vast al overal verteld wat er gebeurd was... Beroemd zijn was eigenlijk best eng.

Ja, alle kinderen die hij tegenkwam keken op een speciale manier naar hem. Hij had eigenlijk verwacht dat hij links en rechts schouderklopjes zou krijgen, maar dat viel tegen. Of méé eigenlijk. De meeste kinderen keken alleen maar. Nou ja, zo deed je dat met een beroemd persoon. Hij was zelf ook niet op Mark afgestapt toen die zijn speldje had gekregen. Zelfs Mo had hij niet durven feliciteren.

Renée zette twee emmers met afval – oud brood, schillen, stukjes pizza – voor de geiten neer.

'Zij kunnen er tenslotte ook niks aan doen,' zei ze.

Jakko begreep dat niet, maar hij liet het maar zitten. Hij liet de geiten achter en liep snel naar de grote steen midden op het plein, waar Moon zat in haar zwarte Schatbewaardersjurk. Ze was druk in de weer met haar rekenmachientje en de spieënkist. Linda hield op een lijst bij wie er al was uitbetaald. De zon scheen op allebei de hoofden, maar alleen Moons krullen gingen ervan glanzen. Bijna net zo mooi als de koperen spieën. Jakko drentelde dichterbij. Zou Moon het al weten?

'Hoi,' zei hij.

Linda keek even op.

'O, hoi Jakko. Kom je je spieën halen?'

Hij knikte. Strak keek hij naar Moons bruine kruin. Dat moest ze voelen. Zie je wel, ze keek op.

'Dacht het niet,' zei ze nors.

'Waarom niet?' vroeg Linda verbaasd. Ze keek op haar lijst.

'Hij is nog niet geweest, hoor Moon.'

Moon boog zich weer over haar rekenmachientje. Ze sloeg zonder te kijken op een verkreukelde Tamtam, die naast haar op de grote steen lag.

'Daarom niet,' zei ze. 'Het is een extra editie, maar jij hoeft hem niet te lezen, Geitenhoeder Jakko, want jij was erbij.'

Wat zei ze dat raar. Héél even vlamde blijdschap op in Jakko's buik. Stonden zijn heldendaden al in de Tamtam? Kreeg hij zijn spieën niet omdat hem een grotere beloning wachtte?

Toen pakte Linda de krant op, en terwijl zij las, begon ze steeds dieper te fronsen. Eén keer sloeg ze een snelle blik op Jakko.

'O,' zei ze, 'op die manier. Ja, nou snap ik het.' Daarna keek ze hem niet meer aan.

Wat was er aan de hand? Waarom deden ze zo idioot?

'Als ik jou was, zou ik maar gauw zelf naar Liam gaan,' zei Moon. 'Voordat Jeroen je oppakt.'

Naar de Schout? Maar waarom? Omdat hij de reddingsboot expres naar de Kolk had gelokt?

Waar waren Sam en Erik trouwens? En de Man? Waarom moest de tweeling niet voor de Schout komen?

Maar dat was waar ook: de rechtbank hield zitting op dezelfde plek waar Moon en Linda nu bezig waren. Sam en Erik werden natuurlijk pas berecht als zij klaar waren.

Opeens snapte hij waarom de Schout hem zocht.

'O! Dus Liam heeft mij nodig als getuige?'

'Getuige, ja hoor!' zei Moon schamper. 'Nou, ga eens aan de kant, je staat in de weg. Je krijgt je spieën pas na de rechtszaak en waarschijnlijk krijg je ze helemaal niet.'

Verbijsterd stapte Jakko opzij.

'Aan de kant, botendief,' zei een meisje achter hem.

Meral heette ze, ze had ook bij de Dragonders gezeten. Had iedereen zich dan tegen hem gekeerd?

Hij griste de krant uit Linda's hand en maakte zich uit de voeten. Hij klom op de bakkersoven om een oogje op de geiten te kunnen houden. Daar las hij wat Sjoerd over hem geschreven had in een extra editie van de Tamtam.

Geitenhoeder Jakko helpt Man boot stelen

De Man die als drenkeling is aangespoeld, heeft met hulp van drie Drakeneilanders een boot weten te stelen. Bij zonsopgang ging de Man ervandoor met de reddingsboot. Hij was in gezelschap van de Tuinders Erik en Sam. Bij de diefstal kreeg het drietal hulp van Geitenhoeder Jakko.

Volgens een onbevestigd gerucht zijn zowel de Man als Erik en Sam van plan Drakeneiland voorgoed te verlaten. Jakko zou hen hebben geholpen omdat hij de Man liever zag gaan dan komen. Op deze beschuldiging had Jakko geen commentaar.

De Parlevinkers gaan ervan uit dat de Man dezelfde is als meneer Papadopoulos. Deze brengt mogelijk in het geheim een bezoek aan Drakeneiland. De Parlevinkers vrezen dat de diefstal van de boot een test is geweest. Dat de opzet is gelukt, betekent een bedreiging voor Drakeneiland. Meneer Papadopoulos zou kunnen besluiten Drakeneiland te sluiten.

Veel kinderen zijn bang dat dit gebeurt. Daarom zijn ze erg boos op de Geitenhoeder. Voorzitter Wendel vraagt iedereen kalm te blijven. Jakko is onschuldig tot zijn schuld is bewezen. De Drakeneilanders mogen het recht niet in eigen hand nemen. De Schout en de Koddebeier zijn gewaarschuwd en zullen Jakko zo snel mogelijk aanhouden.

Dus dáárom hadden de kinderen hem onderweg zo raar aangekeken. Daarom kwam er nu niemand naar hem toe! En het zou wel niet lang meer duren voordat Jeroen hem kwam arresteren.

Jakko moest denken aan de dag dat Dana door het lint was gegaan met die aansteker. Het ergste was de arrestatie geweest. Midden op straat, waar iedereen het kon zien. En hier op Drakeneiland was het nóg erger. Als hij het hier verpestte, kon hij nergens meer heen.

Hij sprong van de oven, midden in zijn kudde. De geiten probeerden om het hardst de schillen van de bodem van de emmers te likken. Die waren daar nog wel even zoet mee. En daarna... moesten ze maar een andere Geitenhoeder aanstellen.

Maar naar de Schout ging hij niet! Dat was er een van de kliek uit de Holte. Vriendje van Wendel, vriendje van Marisol, vriendje van Moon. Voor hem zou al bij voorbaat vaststaan dat Jakko schuldig was.

Met woeste stappen, verblind door tranen, liep Jakko dwars over het plein (zonder ook maar één blik op Moon), langs de Tapperij, langs het gebouwtje waar de Tamtam werd gemaakt, tussen twee huizen door naar het huis van Marnix. De Aanklager zat onder de boom voor zijn huis met de krant op schoot. Vlakbij zat een kleine jongen bloot in een kuil met modder.

De Aanklager keek op toen Jakko aan kwam stuiven.

'Hier ben ik!' zei Jakko met dikke keel. 'Maar ik heb niks gedaan en die Sjoerd heeft zand in zijn kop. En in zijn ogen en in zijn...' Hij wist niks meer.

'In zijn kont?' Marnix grinnikte. Hij haalde een lolly uit zijn mond en wees ermee op Jakko. 'Jij komt jezelf aangeven, hè? Mooi, heb ik eindelijk wat te doen. Iedereen is hier veel te braaf.'

'Ik heb niks gedaan, zeg ik toch!' riep Jakko.

'Kan best, maar we moeten toch een rechtszitting houden. Jammer voor jou. Feit blijft dat de boot weg is.'

'Helemaal niet,' zei Jakko. 'Die is alweer terug. Heb ik gedaan. Samen met Dana.'

'O ja?' vroeg Marnix verbaasd. 'Daar wist ik niks van. En de Man?'

'Ergens,' zei Jakko.

'En de tweeling?'

'Ook ergens.'

Marnix haalde een walkie talkie van binnen. De Schout, de Koddebeier en de Aanklager waren de enigen die er een hadden. Veel kinderen waren er jaloers op.

'Jeroen, hier Marnix. Kom eens uit, over.'

'Hier Jeroen, over.'

'Je moet de tweeling zoeken. Sam en Erik, de Tuinders uit de Diepte. Over.'

'Zijn die niet op zee, over?'

'Nee, ze zijn tóch ergens op het eiland. Doe het meteen en breng ze naar het centrum. Over en uit.' Hij stak de lolly weer in zijn mond.

Jakko kreeg weer een beetje hoop. Marnix leek hem te geloven. Daarom was hij juist naar de Aanklager gelopen in plaats van naar de Schout. Met Liam had hij niks, maar Marnix kende hem uit de Dragondertijd.

Marnix praatte nu in zijn walkie talkie tegen Liam. Jakko wilde weer teruggaan. De geiten vraten anders het hele plein kaal.

Maar Marnix riep: 'Wacht! Jij blijft mooi hier, vriend. Je bent dus wél een verdachte.'

'Maar ik moet naar het plein! Mijn geiten...'

Marnix knipte met zijn vingers. Het jongetje dat in de modder had zitten spelen, kwam aanrennen. De modder op zijn mollige lijf was geelbruin opgedroogd. Hij leek wel een kleipoppetje.

'Dikkie, naar het plein. Daar staat een troep geiten. Daar moet jij op passen.'

'Hoe dan?' vroeg het joch. Marnix en hij keken nu allebei vragend naar Jakko. Die haalde zijn schouders op. Ja, hoe paste je op geiten. Gewoon. Door op ze te passen.

'Ga nou maar,' zei Marnix ongeduldig.

Toen Dikkie weg was, stond hij op. Hij zwaaide met zijn lolly en zei: 'Zo. Nou ga ik jou eens lekker bewaken. Zal ik je vastbinden?'

Jakko haalde zijn schouders op. Dat moest de Aanklager dan maar doen, als hij daar zin in had.

'Je moet wel tegenstribbelen, hoor,' zei Marnix. 'Zo is er geen donder aan.'

Hij deed of het een spelletje was. Maar voor Jakko was het bittere ernst. De Parlevinkers hadden hem vergeven dat hij bij de Dragonders was gegaan. Maar als hij nu opnieuw schuldig werd bevonden, moest hij weg. Dan stuurden ze hem nog vóór Astalabiesta van het eiland af.

'Lolly, verdachte?'

Maar Jakko weigerde. Die lolly's werden sinds kort gemaakt door Meral, het meisje dat hem zo-even botendief had genoemd... Op de treden van de veranda zat hij somber te denken tot Jeroen slippend voor hem remde.

'Tweeling gevonden. Alles is klaar voor de zitting,' rapporteerde hij aan de Aanklager. 'Schout aanwezig, verdachten aanwezig, en de Schrijver zat er toch nog. Er is veel publiek.'

'Mooi,' zei Marnix weer. 'En de Man?'

'Voortvluchtig,' zei Jeroen ernstig. Maar Marnix schoot in de lach.

'Nou, dat is dan níet zo mooi. Kom mee, verdachte.'

De Man getuigt

Toen ze op het plein kwamen, was het al bomvol. Jeroen was het hele eiland rondgefietst op zoek naar de tweeling, dus nu wist iedereen van de rechtszaak.

Van de geiten zag Jakko geen spoor meer. Het modderjongetje was er wel, vooraan, met tranenstrepen over zijn modderwangen. Oppasactie mislukt. De geiten stonden waarschijnlijk ergens een bloementuin leeg te eten…

Jeroen baande een weg door de menigte voor de Aanklager en zijn verdachte. Liam zat op het bankje tegenover het terras, met Linda (die ook als Schrijver voor de rechtbank werkte) aan zijn rechterhand. De Schout droeg zijn donkerblauwe toga. Marnix had voor hij van huis ging net zo'n toga aangeschoten. In het midden onder de boom zaten Sam en Erik op de grote steen, de beklaagdenbank.

Jakko moest naast hen gaan zitten. Erik schoof een eindje op, maar toen viel Sam er aan de andere kant af. Er werd gelachen. Toen schoof Erik de andere kant weer uit, waardoor Jakko op de grond viel. Nu werd er hárd gelachen. Met een gloeiende kop van woede ging Jakko opnieuw zitten, op één bil.

Hij had gedacht als een held te worden geëerd. En nou zat hij voor iedereen te kijk als verdachte. En ze lachten hem uit. Nou, ze bekeken het maar. Hij ging zich echt niet verdedigen.

De Schout, de Aanklager en de Schrijver overlegden even met elkaar. Toen opende Liam de zitting en maakte Marnix bekend waarvan ze werden verdacht. Erik, Sam en Jakko zouden de reddingsboot hebben gestolen voor de Man.

'De tweeling heeft bekend,' zei Liam. 'Dus bewijzen hoeven we niet meer te zoeken. Wat deden jullie op de boot?'

'Ontsnappen,' zeiden Erik en Sam tegelijk.

'Van Drákeneiland?!' Liam schudde verwonderd zijn hoofd. 'Waarom dat dan? Alle anderen willen juist graag blijven.'

'Wij niet,' zei Sam.

'Drakeneiland is saai,' zei Erik.

Er ging een boos gemompel door de rijen. Ook Liam leek er niets van te begrijpen.

'Meen je dat? Wat gek... Nou, dan moesten jullie voor straf misschien juist maar blijven,' zei hij.

'Nee!' riep de tweeling.

'Maar niet te lang,' ging Liam door. 'Jullie blijven hier de Tuinders tot Astalabiesta. Daarna varen jullie met de Snorrevrouw naar de wal.'

'Wauw!' riep Erik.

'Cool!' zei Sam.

'Maar als ik klachten krijg, blijven jullie op Drakeneiland tot Ajuparaplu.'

'Stelletje mazzelaars,' mompelde iemand boven hun hoofd. Jakko keek op. Daar zat Mo de Klokkenluider op zijn vaste plek in de eik. Jakko grijnsde naar hem, maar Mo lachte niet terug. Jakko boog zijn hoofd. Dus ook Mo was tegen hem. En Marnix en Jeroen en Liam en Linda en Moon... Hij voelde waar Moon stond. En hij kon raden hoe ze naar hem keek.

'Waar is de Man eigenlijk?' vroeg Liam.

'Die ligt te slapen...'

'... bij ons thuis,' zeiden Sam en Erik.

'Hij was razend...'

... toen hij merkte dat er helemaal geen veerboot was.'

De tweeling keek kwaad naar Jakko. Hij voelde het zonder op te kijken.

'Ga hem halen,' zei Liam tegen Jeroen. 'Hij is de schuld van alles.'

Er ging een geroezemoes door de rijen. Ging Liam de Man straf geven? Durfde hij dat? En zou de Man dat pikken, van een kind?

'Oké, Sam en Erik. Jullie kunnen gaan.'

Ze verdwenen haastig tussen de toeschouwers. Die maakten plaats alsof de tweeling een besmettelijke ziekte had.

Jakko schoof naar het midden van de steen. Hij bleef strak naar zijn handen staren, die tussen zijn knieën hingen. Ze hoefden niet te denken dat hij mee ging werken.

'Jakko. Je hebt gehoord waarvan je wordt verdacht. Je hebt de tweeling geholpen de reddingsboot te stelen. Je hebt de Koddebeier, die de boten bewaakte, afgeleid. Je hebt Jeroen eerst weggelokt van de haven. Later heb je zijn aandacht proberen af te leiden met een vlieger. Of niet soms?'

Jakko zweeg. Ze hadden het hele verhaal al klaar...

'Je hebt het min of meer toegegeven tegen de krant,' zei de Schout.

De krant liegt, wilde Jakko zeggen, *Sjoerd is een vuile leugenaar.* Maar hij zei niets.

'Zwijgen is toestemmen,' zei Liam dreigend.

'Schiet nou maar op,' zei de Aanklager. 'Hij heeft het gedaan, dat zie je toch zo.'

'Mag ik hem vastbinden?' vroeg Jeroen. 'Volgens mij is hij vluchtgevaarlijk.'

'Kop dicht, Koddebeier,' zei Marnix. 'Als het nodig is, sluit ík hem op, begrepen? Dat recht heb ik als Aan-'

De Schout wierp hem een vernietigende blik toe en de Aanklager hield zijn mond. Liam en Marnix deden wel beleefd, maar ze konden elkaar niet uitstaan.

'Hoor eens, Jakko,' zei Liam overredend. 'Als er iets is wat ik moet weten, dan kun je het nú nog zeggen.'

Jakko bleef zwijgen. Ze hadden hem toch al veroordeeld. Zo ging het altijd. Op Drakeneiland net zo goed.

'Je zwijgt dus,' zei Liam. 'Ik neem aan dat je daarmee schuld bekent. Goed. Dan heb ik geen keus. Het was niet je eerste vergrijp dus je krijgt nu de strengste straf die we hebben. Zodra de Snorrevrouw landt...'

'Wacht!' klonk opeens een heldere stem van boven.

Iedereen keek omhoog, naar de eik. Daar stond Mo op zijn tak. Mo, die nooit wat zei, die altijd onopvallend tussen de bladeren zat, verhief nu zijn stem: 'Dit is niet eerlijk, Liam! Er is wel een Aanklager, maar niemand verdedigt Jakko. Er zou een advocaat moeten zijn. Iemand die vóór Jakko pleit.'

'Tja.' Liam schudde zijn hoofd. 'We hébben geen Pleiter.'

'Maar het deugt niet,' zei Mo. Hij ging weer zitten en verschool zich tussen de bladeren.

Liam keek verlegen. Hij krabde zijn buik onder de toga en keek naar Wendel en naar Linda alsof hij van hen hulp verwachtte. Ook Wendel keek ongemakkelijk.

'Er wilde nou eenmaal niemand Pleiter worden,' mompelde hij.

117

'Ik wel,' zei Dana opeens. Ze stapte naar voren. 'Ik wil wel de Pleiter zijn.'

'Maar jij bent al de Ezeldrijver,' zei Liam.

'En die kunnen we niet missen,' zei Renée.

'Dan doe ik het erbij,' zei Dana. 'Een verdachte heeft recht op verdediging. Dat weet je best, Liam. Je hebt zelf ook voor de kinderrechter gestaan.'

Ze keken elkaar strak aan, de tasjesdief en de brandstichtster. Dana won. Liam knikte en wendde zich tot Linda.

'Haal even een extra toga voor de Pleiter. Er ligt een schone in mijn kast.'

Even later had Dana zich in het donkerblauwe jak gehuld en kwam ze naast Jakko staan.

'En nu?' vroeg ze.

'Nu...' Liam dacht na. 'Nou, eh... nu vertel je waarom Jakko het volgens jou niet gedaan heeft. En als hij het wel gedaan heeft, kun je uitleggen waarom. Misschien kun je een getuige oproepen of zo.'

'O ja,' zei Dana. 'Een getuige! Goed idee. Ik roep als getuige op...' Haar blik viel op twee mensen die zich door de rijen toeschouwers heen drongen. 'Ik roep de Man op als getuige!'

Ja, daar was de Man. Hoofdschuddend keek hij de kring rond. Jakko schudde aan Dana's arm. Was ze gek geworden? De Man zou hem toch niet vrijpleiten?

'Niks ervan!' riep Marnix. 'De Man kan geen getuige zijn – ik wil hem als verdachte. Ik ga hem aanklagen.'

'Dat doe je dan later maar,' zei Liam. 'We zijn nu met Jakko bezig. Vooruit, Koddebeier.'

Jeroen legde de Man uit wat hij moest doen. De waarheid spreken over Jakko, de hele waarheid en niks anders dan de waarheid.

'Waarom zou ik?' vroeg de Man. 'Ik wil naar huis. Mijn dochter is morgen jarig. En die jongen heeft me bedrogen. Hij zei dat er een ferry was. Dat heeft me bijna het leven gekost. Hij verdient straf, geen hulp.' Hij wilde zich omdraaien, maar Jeroen hield hem tegen. En de haag toeschouwers was achter de Man plotseling bijzonder dicht. Hij kon er niet door.

Dana maakte van de gelegenheid gebruik.

'Hoe heeft hij u dat dan wijsgemaakt? Van die veerboot?'

'Met een draak!'

De Drakeneilanders keken elkaar aan. Er wás natuurlijk geen draak op Drakeneiland. Alleen een berg die Drakenkop heette. Die Man spoorde niet!

Opeens drong Losbol zich naar voren.

'Hij bedoelt mijn vlieger,' zei hij. 'Die noemt hij draak. Dat heb ik hem weleens horen zeggen als ik ging vliegeren.'

Dana keek Jakko aan.

'Klopt dat?'

Jakko knikte. Hij schraapte zijn keel. Nu Dana hem hielp…

'De vlieger was een list. Ik had erop geschreven dat er een veerboot in de haven lag.'

'Een leugen!' zei Liam scherp.

'Ik moest wel! Anders waren we de reddingsboot kwijt.'

'Tiende wet,' zei Dana, en ze knikte nadrukkelijk. 'Als iemand in gevaar is… Héél Drakeneiland was in gevaar!'

Er klonk instemmend gemompel. De toeschouwers zaten niet met die leugen. Maar Liam bleef grimmig kijken.

Dana wendde zich weer tot de Man.

'Heeft Jakko de boot helpen stelen?'

'Stelen? Hoezo? Jullie zijn maar een stel kinderen!'

Het publiek morde.

'En Jakko?' Dana praatte luid om boven het gemopper uit te komen.

'Die?' zei de Man met een vies gezicht. 'Hij stinkt naar geit. Het is een domkop.'

Jakko voelde dat hij weer rood werd.

De Man ging door: 'Hij weigerde me te helpen. Zeurde maar door over de een of andere Griek. Papadapa-poepoe-doepoe.'

Het publiek roezemoesde opgewonden. Liam kwam ertussen: 'Dus u bent niet meneer Papadopoulos?'

'Natuurlijk niet,' zei de Man minachtend.

Dana kneep in Jakko's hand. Ze haalde diep adem.

'Begrijp ik het goed? Jakko wilde u niet helpen?'

'Helpen? Hij liet me zo ongeveer verdrinken! Door hem kwam de boot in een sjtroedel.'

'In een wat?' vroeg Liam verbaasd.

Dana stootte Jakko aan.

'Vertel hoe het is gegaan,' fluisterde ze.

'Maar...'

'Wat de Man zegt, is in jouw voordeel. Doe je mond open, kom op!'

Jakko keek naar Liam. Als er in zijn hoofd nou maar niet weer een deur dichtsloeg...

'Wat is dat met die sjtroe-dinges?' vroeg Liam.

'Ik d-denk dat de Man d-draaikolk bedoelt. Ik heb ze naar de Kolk gelokt.' Jakko begon stotterend, maar vergat zijn verlegenheid toen hij vertelde hoe hij de vlieger daarna had gebruikt om de tweeling te redden.

'Momperdrie!' zei Marnix, die nog niet zo goed thuis was in de Drakeneilandse vloeken. 'Dat heb je handig aangepakt. Maar ik klaag je natuurlijk wel aan wegens het kwijtmaken van de reddingsboot.'

'De reddingsboot ligt anders veilig aan de wal, hoor,' zei Dana. 'Jakko heeft hem met gevaar voor eigen leven uit de Kolk gehaald. Ik was er zelf bij.' Ze keek Liam aan. 'Nou, wil je hem nog steeds veroordelen? Zo stom ben je toch zeker niet?'

Liam schudde zijn hoofd. Maar hij kon niets zeggen, want opeens weken de rijen uit elkaar en sprong Jonathan in de kring. Stijn sukkelde achter hem aan. De omstanders mompelden.

'Oké, mensen!' riep Jonathan. 'De Vlootvoogd is terug, de Magazijnmeester is terug, de radio doet het weer en de Snorrevrouw ligt in de haven met nieuwe voorraden. Maar WIE HEEFT VERDUIZEND MIJN REDDINGS-BOOT GEJAT?!'

Zijn stem sloeg over. Hij keek woedend toen iedereen in lachen uitbarstte. 'Ik maak geen grap!'

'Het is tóch grappig,' zei Liam toen het weer stil werd. 'We hadden het er net over. Je reddingsboot heeft nogal wat avonturen meegemaakt. Je kunt hem ophalen bij de Kolk. Neem een paar sterke jongens en stevige touwen mee.'

Natuurlijk probeerde toen iedereen tegelijk aan Jonathan en Stijn uit te leggen wat er was gebeurd. Maar de Man had de hardste stem.

'Muil houden! Dus er is een volwassene in de haven? Met een boot? Mooi. Dan kan ik naar huis. Ik zal melden hoe het hier toegaat. Jullie kunnen hier niet alleen blijven.'

Het werd stil. De toeschouwers weken achteruit. De Parlevinkers gingen rechtop zitten. Op een geheimzinnige manier keerde de orde terug. Alle kinderen staarden de Man aan.

'Waarom niet?'

'Jullie zijn maar kinderen! Het is hier een chaos!'

'Ja,' zei Wendel. Nu hij wist dat de Man meneer Papa-dopoulos niet was, leek hij niet meer bang voor hem. 'Ja, het wérd een chaos toen u kwam. Maar normaal redden we ons prima.'

'Klets geen onzin,' zei de Man. 'Ik ben leraar, ik wéét hoe kinderen zijn. Roofdieren! Als je ze niet temt, vreten ze je op.'

Het werd nu doodstil. Alle bewoners van Drakeneiland staarden de Man aan. Zelfs Wendel zei niets. Jakko, die oproerig geschreeuw had verwacht, die zelf zijn vuist al gebald had, liet verbaasd zijn adem ontsnappen. Dit zwijgen werkte veel beter! De Man wist duidelijk geen raad met al die blikken. Juist het zwijgen van de kinderen maakte hem onzeker, zo leek het. En de stilte duurde maar...

'Ik…' stamelde hij. 'Ach, laat ook maar. Het maakt mij niet uit.'

Hij liep om de eik heen in de richting van de haven. De kring week en sloot zich weer.

'Doei en tot nooit!' mompelde Jakko.

De menigte viel uit elkaar. Liam trok zijn toga uit en liep naar Wendel en Marisol toe. Linda liet haar verslag liggen om met Meral te babbelen. Moon ging bij het groepje van Wendel staan.

Jakko stond op. 'Ik ga,' zei hij tegen Dana. 'Ik moet mijn geiten zoeken voordat ik weer tig klachten aan mijn broek krijg.'

Een kus van de maan

De zon ging onder. Het havenkantoortje wierp een lange schaduw over de steiger en de boten die daar lagen aangemeerd. De Snorrevrouw stond wijdbeens op het dek van haar schip en keek toe hoe de Ezeldrijver de laatste zakken uit het ruim op de ezels laadde. Ze zeiden iets tegen elkaar en de Snorrevrouw legde haar hoofd in haar nek en lachte. De Man, die languit op een van de banken lag, tilde verstoord zijn hoofd op.

Jakko stond ernaar te kijken vanaf de top van een van de Groene Heuvels. Hij had die middag uren rondgedraafd tot hij alle geiten weer bij elkaar had. Eigenlijk zou hij een hond moeten hebben. Maar dat moest hij aanvragen bij de Parlevinkers, en dan zou hij daar weer staan, midden in de kring... Nee, daar had hij voorlopig genoeg van.

De motorboot kwam aantuffen, met Jonathan aan het roer. Mark, Gerrit, Jeroen en Marnix, die de sterksten van het eiland waren, zaten op de bankjes. De reddingsboot sleepten ze achter zich aan. Zeker om diesel te sparen, want er leek niks mis mee. Jonathan schreeuwde bevelen, ze meerden aan en maakten de trossen vast. Ze sprongen op de steiger, liepen het strand op naar het pad, met de stoere pas van filmhelden. Zíj hadden de reddingsboot teruggebracht.

Jakko draaide zich om. Het waren toch altijd dezelfden die de eer kregen.

Maar weet je, zei hij in gedachten tegen Moon, *als ik niet zo handig was geweest met mijn katapult, dan hadden we de reddingsboot nooit meer teruggezien...* Hij kon niet bedenken wat Moon terug zou zeggen.

Hij floot zijn geiten bij elkaar. Het was tijd om ze te melken. Zonder hem moest iedereen droog brood eten, er zouden geen pannenkoeken zijn, en kon je pizza maken zonder kaas? Maar daar dacht nooit iemand aan. Alle kinderen hadden alleen maar oog voor de helden. De binken. De opscheppers. Voor de lui met de dure baantjes en de zachte handen. De pennenlikkers en de kletsmajoors.

De Geitenhoeder deed er niet toe. Die mocht je zwartmaken en beschuldigen zoveel je maar wou. Je hoefde hem niet eens vrij te spreken als hij het niet had gedaan. Je liet hem gewoon links liggen.

Het pad kronkelde om de laatste heuvel heen. Jakko daalde af naar het plein, en stak het over zonder op of om te kijken. Uit de bakkersoven steeg rook op. Hij voelde de blikken van kinderen die pizza zaten te eten op het terras van de Tapperij. Hij zag kippen scharrelen tussen de tafeltjes. Ruben de Fietsenmaker keek de fietsen in het rek na. Zo snel hij kon liep Jakko naar huis.

Het steegje tussen het huis en de stal werd versperd. Het schemerde nu en Jakko kon niet zien wie daar stond.

'Jakko! Ik zocht je al!'

Het was Wendel. Hij ging aan de kant voor de geiten. Jakko liep zwijgend de stal in. In het halfduister zette hij de melkkruk, de emmer en een melkbus klaar. Hij krauwde de eerste geit tussen haar horens. Toen begon hij te melken.

Wendel keek vanuit de deuropening toe. Jakko voelde zich ongemakkelijk onder zijn blik. Wat deed de Voorzitter van de Parlevinkers hier? Kon hij niet op het terras gaan zitten? Of gaan zwemmen met zijn vriendjes uit de Holte?

'Ik wou even zeggen dat het me spijt. Iedereen dacht dat je schuldig was – ook omdat je eerst bij de Dragonders was gegaan. Liam en ik... Nou ja, een paar kinderen vertrouwden je niet meer. En toen het ook nog in de Tamtam stond...'

'Roddels,' bromde Jakko.

'Ja, roddels. Nou ja, het spijt me dat ik ze heb geloofd. Als we de reddingsboot waren kwijtgeraakt... Ik denk niet dat meneer Papadopoulos ons dan nog zou vertrouwen. Dus bedankt.'

Bedankt? Meer niet? Jakko's keel zat dicht. Een bedankje, daar kon hij het dus mee doen.

'Een hele eer,' zei hij schor. 'Dat de Voorzitter me dat persoonlijk komt vertellen.'

'Niet namens de Parlevinkers, hoor,' zei Wendel. 'Gewoon namens mezelf.'

'O, niet zo'n grote eer dus.' Per ongeluk kneep Jakko te hard in de speen. De geit trapte boos met haar achterpoot.

'Had je dat verwacht?' vroeg Wendel. 'Dat de Parlevinkers je officieel zouden bedanken?'

'Nee hoor,' bromde Jakko. Ja, hij zou zich daar een beetje laten kennen!

'Of had je nog méér verwacht? Dacht je dat we je tot Drakendoder zouden benoemen?'

'Nee hoor.' Jakko's keel leek nog dikker geworden.

'Waarom niet? Mark werd Drakendoder toen hij een roeiboot terugbracht. En Mo kreeg een speldje voor een list. De reddingsboot uit de Kolk redden was moeilijker.'

'Plus drie mensen,' zei Jakko.

'Ja. Dus zó gek zou het niet zijn als je onderscheiden werd,' zei Wendel.

'Hou op, Wendel. Nu weet ik het wel. Ga nou maar – je staat in de weg.' Jakko stond op en goot de emmer leeg in de melkbus. Wendel ging opzij, maar hij vertrok niet.

'Weet je waarom jij geen Drakendoder kunt worden?' vroeg hij.

'Omdat ik het maar ben,' barstte Jakko uit. 'Jakko de Geitenhoeder. Een domkop, die nog stinkt ook. Omdat ik geen dure woorden gebruik en geen rekenmachientje nodig heb. Omdat -' De woorden vormden een prop in zijn keel.

'Omdat er een leugen op die vlieger stond,' zei Wendel.

'Ik moest het wel doen,' zei Jakko. 'Dit allemaal…' Hij hield even op met melken en maakte een brede zwaai met zijn arm. 'Heel Drakeneiland stond op het spel!'

'Een leugen is een leugen,' zei Wendel vlak. 'Achtste Wet, Jakko. Al het andere heb je goedgemaakt met je reddingsactie. Dat is de Vijfde Wet. Maar die leugen blijft staan.'

'Stik toch met je Wetten,' zei Jakko. 'Wat heb je aan die Wetten als Drakeneiland niet meer bestaat?'

Het was even stil.

'Dat is waar,' zei Wendel.

Jakko had niet verwacht gelijk te krijgen. Er zat nog boosheid in zijn borst.

'Maar ik hoef geen speldje hoor. Daar heb je toch niks aan. Melk, daar heb je wat aan.' Hij goot de emmer weer leeg en begon aan de volgende geit. 'En aan kaas en brood en olijven. Die andere dingen, speldjes en eretitels en wetten en kranten en zo, dat is leuk voor jullie. Wij doen het werk wel.'

Hij kon hóren dat Wendel zijn wenkbrauwen optrok.

'Jullie? Wij? Wat bedoel je daarmee?'

'Je snapt het best,' zei Jakko. 'Het gaat hier niet anders toe dan thuis.'

Het werd donker in de stal toen Wendel vol in de deuropening ging staan.

'O jawel,' zei hij. 'Dit is Drakeneiland. Het gaat hier wél anders toe. In ieder geval zolang ik Voorzitter ben.'

'Fijn voor je,' zei Jakko. 'En nou opzouten, anders zie ik niks.'

Wendel aarzelde nog even, zijn bleke hand aan de deurpost. Toen ging hij.

'Dana?' vroeg Jakko toen ze 's avonds in bed lagen.

'Hm?'

'Vind jij dat ze me Drakendoder hadden moeten maken?'

'Hm-m. Tuurlijk.'

'Waarom denk je dat ze het niet deden?'

Dana was een tijdje stil. Toen zei ze wat hij wilde horen.

'Omdat jij het maar bent.'

Jakko slikte. Dus Dana dacht het ook.

'Ben je niet boos op ze dan?'

'Jawel.'

'Maar...'

'Wat bedoel je? Moet ik weer iets in de fik steken voor je? Dat heeft de vorige keer ook zo lekker geholpen!' Dana klonk geërgerd.

'Zo bedoel ik het niet...'

'Hou je mond dan liever,' zei Dana. 'Ik ben afgepeigerd. Ik heb dus wél in mijn eentje een heel schip uitgeladen!'

'Sorry,' zei Jakko.

'Zeg dat wel. Nou, slaap lekker.'

Jakko was ook uitgeput. Hij had in één dag meer beleefd dan alle weken daarvoor. Maar slapen kon hij niet. Alles wat er was gebeurd, maalde door zijn kop. Zodra hij in slaap dreigde te vallen, zag hij de draaikolk weer voor zich. De Man, Sam en Erik, de reddingsboot en zelfs de ezels draaiden voorbij. Een oranje vlieger stond afgetekend tegen de lucht, de blauwe letters leken uitgeknipt: JAKKO IS EEN LEUGENAAR. En in zijn hoofd klonk de stem van Moon, die zei: *Jakko? Die stinkt naar geit.*

'Dana?'

'Wat nou weer? Ik sliep al, sokkenbol!'

'Wat vind je van Moon?'

'O, mooie Moon! Je kunt net zo goed vragen wat ik van de maan vind.'

'Wat vind je dan van de maan?'

'Ga slapen, Jak. Het doet er niet toe wat ik van de maan vind. Veel te ver weg.'

Jakko zuchtte.

Hij werd wakker van klokgelui. En... was dat muziek? Ja, een vrolijk wijsje van mandolines en fluiten buitelde tussen de heuvels door. Het kwam dichterbij... en nog dichterbij...

Dana sprong met een bons uit het bovenste stapelbed.

'Ze komen hierheen! O Jakko, gauw, trek iets aan!'

Jakko glipte uit bed en gluurde door de spleetjes van de luiken. Ja, daar kwamen de muzikanten, in hun goudgroene feestkleren. Ze werden voorafgegaan door Mark en Jeroen. Wat viel er te vieren? Het was toch nog lang geen Astalabiesta?

'Doe nou kleren aan, Jak!' Dana had zich al aangekleed. Maar Jakko had geen zin in een feest.

De muzikanten hielden halt. Achter hen verzamelde zich de halve bevolking van Akropolis. Uit de heuvels kwamen kinderen uit de Holte aanfietsen. Jakko herkende ook Losbol en Luilebal, die kennelijk in alle vroegte uit de Diepte waren gekomen. Wat was er toch aan de hand?

Toen kwam Jeroen naar hún deur toe... hij klopte luid. Jakko deed gauw een paar stappen achteruit, bang dat ze hem zouden zien. Hij rende naar de stoel waar zijn kleren op lagen. Maar de deur werd al opengegooid.

'Jakko, meekomen! De Parlevinkers wachten op je!'

Daar stond hij, in zijn onderbroek, voor half Drakeneiland te kijk. Maar schamen deed hij zich toch niet. Er kriebelde iets in zijn borst, iets geks. Het krabbelde en krauwelde aan zijn ribben, als een kuchje dat zich niet liet onderdrukken.

Snel trok hij een korte broek en een shirt aan. Tussen Jeroen en Wendel in liet hij zich meevoeren naar het plein. Dana danste voor hem uit, als een geit die te lang op stal had gestaan. Achter hem liep de muziek. Het kon niet... hij droomde...

Ze kwamen langs het washok. Jakko trok zich los.

'Even, hoor.'

Kon je plassen in een droom? Hij gooide koud water tegen zijn gezicht. De muziek buiten hield aan.

'Schiet op nou,' zei Jeroen.

Op het plein zat Wendel op zijn plek van Voorzitter, met om hem heen de Parlevinkers. Op de grote steen lag een goudkleurig fluwelen kleed met een groene draak. Daarop lag iets glimmends.

De muzikanten stelden zich in een halve cirkel op. Daarachter verdrongen zich de Drakeneilanders. Jakko zag Moon, die stralend naar hem lachte.

Kon je blozen in een droom?

Jeroen en Mark duwden hem naar het midden. De muzikanten zetten het Drakenlied in. Wendel stond op. De andere Parlevinkers volgden zijn voorbeeld. Met hun rechterhand op de borst zongen ze het Drakenlied. Jakko bewoog alleen zijn lippen, zijn keel zat weer dicht.

Nog één keer luidde de klok, daarna werd het stil. Wendel stapte naar voren.

'Voor het redden van drie levens,' zei hij. 'Voor het veiligstellen van de reddingsboot, voor je moed en voor je vindingrijkheid, maar vooral omdat je het belang van Drakeneiland voor je eigen belang hebt laten gaan...' En zachtjes voegde hij eraan toe: '...en ook om te bewijzen dat er op Drakeneiland geen jullie bestaat – alleen maar wij...'

Jakko slikte. Was dit dezelfde Wendel als gisteren?

Fouad pakte het glimmende ding van de goudkleurige

doek en gaf het aan Wendel. Het gouden speldje van de draak met een speer door zijn hart, het teken van de Drakendoder.

Luid ging Wendel door: '… mag ik je namens de bevolking van Drakeneiland dit ereteken geven. Ik groet je, Drakendoder!'

Fouad en alle anderen bogen hun hoofd, hun hand op hun hart. Wendel zat met het speldje te prutsen.

'Au!' zei Jakko. 'Je prikt me, man!'

Er barstte gelach los. Maar het was geen uitlachen deze keer. De muzikanten begonnen weer te spelen. Er kwamen kinderen om hem heen staan. Dana sloeg keihard op zijn schouder. Jeroen kneep zijn hand fijn. Mark zei: 'Welkom bij de club, man.' Wouter en Jonathan namen hem op hun schouders, maar Renée trok hem weer omlaag en zoende hem op zijn oor. Wendel probeerde iets uit te leggen dat Jakko niet kon verstaan. Mo sprong uit de eik zowat in zijn nek. Myrna kneep in zijn arm. Sjoerd kwam zijn excuses aanbieden. Dikkie zwaaide vanaf de bakkersoven. Linda riep in haar eentje driemaal hoera voor de nieuwe Drakendoder. En in de verte wuifde Moon. De zon sloeg vonken uit haar krullen.

Wendel volgde zijn blik.

'Moon heeft je voorgedragen,' zei hij. 'Gistermiddag al, meteen na de rechtszitting. Je was opeens verdwenen en Moon vond…'

Jakko werd blind en doof voor alles om hem heen. Dwars door het gewoel liep hij op Moon af.

'Bedankt,' zei hij. Hij sloeg zijn ogen neer en zag het niet aankomen. Haar kus landde midden op zijn mond.

'Niet omdat ik verliefd op je ben of zo, hoor,' zei ze. 'Gewoon omdat je het verdient.'

Kon je slaapwandelen in je droom? Op de een of andere manier belandde Jakko weer bij Dana.

'Ik zag het wel,' zei ze. 'Een kus van de maan. Bofkont!'
'Niks bofkont,' zei Jakko. 'Ik heb het verdiend.'

Lees ook

Mark vindt zichzelf een avontuurlijke jongen. Het is toch leuk om kikkers te kweken in het bad? Maar grote mensen vinden hem een lastpak. Moederziel alleen wordt hij op Drakeneiland gedropt...

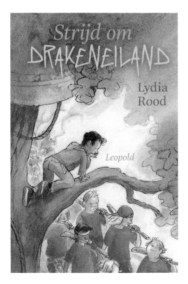

Mo begrijpt er niets van. Hoe kan een groepje nieuwe kinderen zomaar de macht overnemen op Drakeneiland? Mo is niet zo'n held. Maar als er kinderen zomaar verdwijnen, neemt hij een besluit. Hij gaat de strijd aan!

SPECIAAL VOOR DRAKENEILAND-FANS

Een stukje uit het vierde boek: **Vermist op Drakeneiland**

'De avond voor Astalabiesta is er toch feest?' zei Jasmijn.

Moon knikte. Het was het grootste feest van de hele zomer.

'Een jongen en een meisje zijn dan Kei en Kanjer.'

'Maar wie zijn dat dan?' Moon snapte het nog niet.

'Nou, we moeten ze eerst nog kiezen,' zei Jasmijn. 'Ik stem op jou. Maar dan moet je je wél opgeven. Schiet op nou!'

'Doe jij ook mee?' vroeg Moon.

Jasmijn lachte. 'Doe niet zo gek. Jij bent veel populairder.'

Aan de stam van de dikke boom, naast de Wetten, hing een gekleurd vel papier dat Moon nog niet eerder had gezien.

DE KEI EN DE KANJER – KANDIDATEN

Kei	**Kanjer**
Mark, Spellier	*Marisol, Parlevinker*
Ruben, Fietsenmaker	*Ronda, Krantenbezorger*
Fouad, Parlevinker	*Meral, Limonadeverkoper*
Jeroen, Koddebeier	*Lisa, Danseres*
Sjoerd, Verslaggever	*Lena, Danseres*
Gerrit, Muzikant	
Marnix, Aanklager	
Jakko, Geitenhoeder	
Stijn, Magazijnmeester	
Losbol, Schilder	

'Zo weinig meisjes maar!' mompelde Moon verbaasd. Ze schrok op toen ze antwoord kreeg. Achter haar stond Mark, de Spellier. Hij organiseerde het feest van Astalabiesta.

'Als Kei of als Kanjer zit je in de jury. De meeste meisjes willen liever zingen en springen,' zei Mark. 'Maakt niet uit. Marisol wint tóch.' Hij peuterde aan de punaise waarmee de lijst vastzat.

'Dus ik hoef het niet te proberen?' Moon hield haar hoofd schuin en deed haar ogen half dicht. Zo keek ze hem aan. Jongens konden daar niet zo goed tegen.

Maar Mark zei: 'Ach, jij bent Marisols beste vriendin, je krijgt vast wel een páár stemmen.'

Moon schaterde.

Mark keek haar verbaasd aan.

'Lekker bot ben jij!' zei Moon. Maar ze was niet beledigd. Mark zag nou eenmaal alleen Marisol. Zij was waarschijnlijk de enige reden dat Mark zelf meedeed.

Er hing een pen naast de lijst. Onderaan de lijst met Kanjer-kandidaten schreef ze: *Moon, Schatkistbewaarder*.

'Nou, veel succes!'

Moon keek om de boom heen. Onder de luifel van de bakkerij stonden Lisa en Lena, elk met een oliebol. Moon lachte naar hen.

Lena knipperde liefjes met haar ogen.

'Wéét Marisol dat jij ook meedoet?' vroeg ze.

'Daar is ze vast niet blij mee!' riep Lisa.

'Of doe je het daar juist om?' vroeg Lena. 'Je gunt het Marisol niet, hè?' Lisa en Lena grepen elkaars hand en renden weg. Zelfs als ze holden, leek het alsof ze dansten. Maar ze lieten Moon achter met een naar gevoel.

Wie wint de Kanjerverkiezing? En kunnen Moon en Marisol nog wel vriendinnen zijn? Lees het in **Vermist op Draken-eiland**, *verschijning maart 2009*

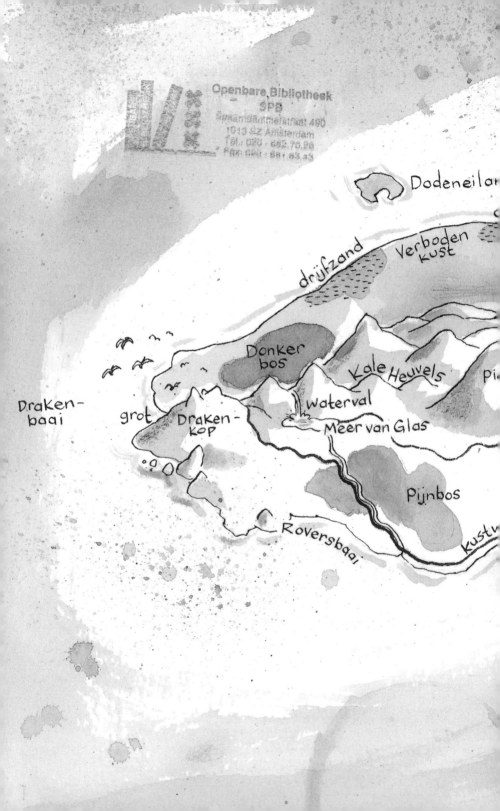

Dodeneiland

Verboden kust

drijfzand

Donker bos

Kale Heuvels

Pi

Drakenbaai

grot

Draken-kop

Waterval

Meer van Glas

Pijnbos

Roversbaai

Kustw